MARIE...

Marie-Claire Blais est née à Québec, d'une famille ouvrière, le 5 octobre 1939. Après des études classiques et commerciales, elle occupe divers emplois et rencontre le Père Georges-Henri Lévesque, grâce à qui elle publiera son premier roman en 1959. Boursière du Conseil des Arts du Canada et de la Fondation Guggenheim, protégée du grand critique américain, Edmund Wilson, elle passe plusieurs années à l'étranger: Paris, Cape Cod, Bretagne. Une saison dans la vie d'Emmanuel (prix Médicis 1966) la propulse aux premiers rangs des écrivains québécois contemporains et lui assure une renommée internationale. Elle vit aujourd'hui à Montréal, où elle poursuit une oeuvre qui compte déjà quatorze romans, deux recueils de poèmes et de nombreux écrits pour le théâtre. En 1982, Marie-Claire Blais a reçu le Prix David.

UNE SAISON DANS
LA VIE D'EMMANUEL

Dans un monde hostile et froid, où la mort et la maladie sont partout présentes, où règnent la misère et l'obscurité, des enfants cherchent, à l'ombre de leur grandmère toute-puissante, à préserver coûte que coûte le feu de leur rébellion et de leur désir d'innocence.

Né par un matin d'hiver, Emmanuel réussira-t-il, au terme de sa première saison d'existence, à poursuivre cette lutte farouche pour la vie qu'ont entreprise avant lui sa soeur Héloïse, son frère le Septième, et surtout Jean Le Maigre, par la révolte, par la poésie et par l'amour?

Ecrit dans une prose hallucinante, où le rêve côtoie la réalité la plus dure, *Une saison dans la vie d'Emmanuel* reste l'un des romans les plus importants des vingt dernières années, comme en témoigne son succès non seulement au Québec mais aussi en France, aux Etats-Unis et dans le monde entier.

Marie-Claire Blais
Une saison dans la vie d'Emmanuel

Marie-Claire Blais
Une saison dans la vie d'Emmanuel

QUÉBEC

Stanké

La collection Québec 10/10 *est publiée sous la direction de Roch Carrier.*

Éditeur : Éditions internationales Alain Stanké Ltée
2127, rue Guy
Montréal (Québec)
CANADA H3H 2L9

Illustration de la page couverture : Robert Bigras

Données de catalogage avant publication (Canada)

Blais, Marie-Claire, 1939-

Une saison dans la vie d'Emmanuel

(Québec 10/10 ; 18)
Éd. originale : Montréal : Le Jour, 1965.

ISBN 2-7604-0059-X

I. Titre. II. Collection.

PS8503.L34S24 1988   C843'.54   C88-096123-6
PS9503.L34S24 1988
PQ3919.2.B52S24 1988

ISBN 2-7604-0059-X

Dépôt légal : 1er trimestre 1980

IMPRIMÉ AU CANADA

CHAPITRE PREMIER

Les pieds de Grand-Mère Antoinette domi-
naient la chambre. Ils étaient là, tranquilles
et sournois comme deux bêtes couchées, frémissant à peine dans leurs bottines noires, toujours prêts à se lever : c'étaient des pieds
meurtris par de longues années de travail aux
champs (lui qui ouvrait les yeux pour la première fois dans la poussière du matin ne les
voyait pas encore, il ne connaissait pas encore
la blessure secrète à la jambe, sous le bas de
laine, la cheville gonflée sous la prison de lacets et de cuir...) des pieds nobles et pieux
(n'allaient-ils pas à l'église chaque matin en
hiver ?) des pieds vivants qui gravaient pour
toujours dans la mémoire de ceux qui les
voyaient une seule fois — l'image sombre de
l'autorité et de la patience.

Né sans bruit par un matin d'hiver, Emmanuel écoutait la voix de sa grand-mère. Immense, souveraine, elle semblait diriger le
monde de son fauteuil. « Ne crie pas, de quoi
te plains-tu donc ? Ta mère est retournée à la
ferme. Tais-toi jusqu'à ce qu'elle revienne.
Ah! déjà tu es égoïste et méchant, déjà tu me

mets en colère! » Il appela sa mère. « C'est
un bien mauvais temps pour naître, nous n'a-
vons jamais été aussi pauvres, une saison dure
pour tout le monde, la guerre, la faim et puis
tu es le seizième... » Elle se plaignait à voix
basse, elle égrenait un chapelet gris accroché
à sa taille. Moi aussi j'ai mes rhumatismes,
mais personne n'en parle. Moi aussi, je souf-
fre. Et puis, je déteste les nouveau-nés; des
insectes dans la poussière! Tu feras comme
les autres, tu seras ignorant, cruel et amer...
« Tu n'as pas pensé à tous ces ennuis que tu
m'apportes, il faut que je pense à tout, ton
nom, le baptême... »

Il faisait froid dans la maison. Des visages
l'entouraient, des silhouettes apparaissaient. Il
les regardait mais ne les reconnaissait pas encore. Grand-Mère Antoinette était si immense
qu'il ne la voyait pas en entier. Il avait peur.
Il diminuait, il se refermait comme un co-
quillage. « Assez, dit la vieille femme, regarde
autour de toi, ouvre les yeux, je suis là, c'est
moi qui commande ici! Regarde-moi bien, je
suis la seule personne digne de la maison. C'est
moi qui habite la chambre parfumée, j'ai
rangé les savons sous le lit... Nous aurons beaucoup de temps, dit Grand-Mère, rien ne presse
pour aujourd'hui... »

Sa grand-mère avait une vaste poitrine, il
ne voyait pas ses jambes sous les jupes lourdes mais il les imaginait, bâtons secs, genoux
cruels, de quels vêtements étranges avait-elle

enveloppé son corps frissonnant de froid ?
Il voulait suspendre ses poings fragiles à ses
genoux, se blottir dans l'antre de sa taille, car
il découvrait qu'elle était si maigre sous ces
montagnes de linge, ces jupons rugueux, que
pour la première fois il ne la craignait pas.
Ces vêtements de laine le séparaient encore de
ce sein glacé qu'elle écrasait de la main d'un
geste d'inquiétude ou de défense, car lorsqu'on
approchait son corps étouffé sous la robe sévère, on croyait approcher en elle quelque fraîcheur endormie, ce désir ancien et fier que
nul n'avait assouvi — on voulait dormir en
elle, comme dans un fleuve chaud, reposer sur
son cœur. Mais elle écartait Emmanuel de ce
geste de la main qui, jadis, avait refusé l'a-
mour, puni le désir de l'homme.

— Mon Dieu, un autre garçon, qu'est-ce que
nous allons devenir ? Mais elle se rassurait
aussitôt : Je suis forte, mon enfant. Tu peux
m'abandonner ta vie. Aie confiance en moi.

★

Il l'écoutait. Sa voix le berçait d'un chant
monotone, accablé. Elle l'enveloppait de son
châle, elle ne le caressait pas, elle le plongeait
plutôt dans ce bain de linges et d'odeurs. Il
retenait sa respiration. Parfois, sans le vouloir, elle le griffait légèrement de ses doigts
repliés, elle le secouait dans le vide, et à
nouveau il appelait sa mère. « Mauvais carac-

tère, disait-elle avec impatience ». Il rêvait du
sein de sa mère qui apaiserait sa soif et sa
révolte.

« Ta mère travaille comme d'habitude, disait Grand-Mère Antoinette. C'est une journée
comme les autres. Tu ne penses qu'à toi. Moi
aussi j'ai du travail. Les nouveau-nés sont sales. Ils me dégoûtent. Mais tu vois, je suis
bonne pour toi, je te lave, je te soigne, et tu
seras le premier à te réjouir de ma mort... »

Mais Grand-Mère Antoinette se croyait immortelle. Toute sa personne triomphante était
immortelle aussi pour Emmanuel qui la regardait avec étonnement.

— Oh! mon enfant, personne ne t'écoute, tu
pleures vainement, tu apprendras vite que
tu es seul au monde!

— Toi aussi, tu auras peur...

Les rayons de soleil entraient par la fenêtre.
Au loin, le paysage était confus, inabordable.
Emmanuel entendait des voix, des pas, autour
de lui. Il tremblait de froid tandis que sa
grand-mère le lavait, le noyait plutôt à plusieurs reprises dans l'eau glacée... « Voilà,
disait-elle, c'est fini. Il n'y a rien à craindre.
Je suis là, on s'habitue à tout, tu verras. »

Elle souriait. Il désirait respecter son silence; il n'osait plus se plaindre car il lui
semblait soudain avoir une longue habitude
du froid, de la faim, et peut-être même du désespoir. Dans les draps froids, dans la chambre froide, il a été rempli d'une étrange

patience, soudain. Il a su que cette misère
n'aurait pas de fin, mais il a consenti à vivre.
Debout à la fenêtre, Grand-Mère s'était écriée
presque joyeusement :

« Les voilà. Je sens qu'ils montent l'escalier, écoute leurs voix. Les voilà tous, les petits-enfants, les enfants, les cousins, les nièces
et les neveux, on les croit ensevelis sous la
neige en allant à l'école, ou bien morts depuis
des années, mais ils sont toujours là, sous les
tables, sous les lits, ils me guettent de leurs
yeux brillants dans l'ombre. Ils attendent que
je leur distribue des morceaux de sucre. Il y
en a toujours un ou deux autour de mon fauteuil, de ma chaise, lorsque je me berce le
soir...

« Ils ricanent, ils jouent avec les lacets de
mes souliers. Ils me poursuivent toujours de
ce ricanement stupide, de ce regard suppliant
et hypocrite, je les chasse comme des mouches,
mais ils reviennent, ils collent à moi comme
une nuée de vermines, ils me dévorent... »

Mais Grand-Mère Antoinette domptait admi-
rablement toute cette marée d'enfants qui
grondaient à ses pieds. D'où venaient-ils ? Sur-
gissaient-ils de l'ombre de la nuit ? Ils avaient
son odeur, le son de sa voix, ils rampaient
autour du lit, ils avaient l'odeur familière de
la pauvreté...

« Ah! assez, dit Grand-Mère Antoinette, je
ne veux plus vous entendre, sortez tous, retournez sous les lits... Disparaissez, je ne veux

plus vous voir, ah! quelle odeur, mon Dieu! »

Mais elle leur distribuait avec quelques coups de canne les morceaux de sucre qu'ils attendaient la bouche ouverte, haletants d'impatience et de faim, les miettes de chocolat, tous ces trésors poisseux qu'elle avait accumulés et qui jaillissaient de ses jupes, de son corsage hautain. « Eloignez-vous, éloignez-vous », disait-elle.

Elle les chassait d'une main souveraine. Plus tard, il la verrait marchant ainsi au milieu des poules, des lapins et des vaches, semant des malédictions sur son passage ou recueillant quelque bébé plaintif tombé dans la boue. Elle répudiait vers l'escalier — leur jetant toujours ces morceaux de sucre qu'ils attrapaient au hasard — tout ce déluge d'enfants, d'animaux, qui, plus tard, à nouveau, sortiraient de leur mystérieuse retraite et viendraient encore gratter à la porte pour mendier à leur grand-mère...

★

Voici sa mère. Il la reconnaît. Elle ne vient pas vers lui encore. Il pourrait croire qu'elle l'a abandonné. Il reconnaît son visage triste, ses épaules courbées. Elle ne semble pas se souvenir de lui avoir donné naissance, ce matin. Elle a froid. Il voit ses mains qui se crispent autour du seau de lait. « Il est là, dit Grand-Mère Antoinette, il a faim, il a pleuré

tout le jour. » Sa mère est silencieuse. Elle
sera toujours silencieuse. Quelques-uns de ses
frères rentrent de l'école et secouent leurs
bottes contre la porte. « Approchez », dit
grand-mère, mais elle les frappe légèrement
du bout de sa canne lorsqu'ils passent sous
la lampe. Au loin le soleil est encore rouge sur
la colline.

— Et le Septième, qu'avez-vous fait du Septième ? Tant que je vivrai vous irez à l'école...

La taille de sa mère se gonfle doucement :
elle se penche pour déposer le second seau de
lait.

— Quand je pense qu'ils ont encore perdu
le Septième dans la neige, dit Grand-Mère Antoinette.

Le seau déborde. De petites gouttes de lait
coulent sur le plancher dans les rayons de la
lampe. Grand-Mère Antoinette gronde, fait des
reproches, elle gifle parfois une joue rugueuse
qui s'offre à elle en passant.

— Vous devriez me remercier, ah! si je n'é-
tais pas là, vous n'iriez jamais à l'école,
hein ?

— Grand-mère, dit une voix d'homme au
fond de la cuisine, l'école n'est pas nécessaire.

La voix d'homme n'est qu'un murmure. Elle
se perd, disparaît. Debout contre le mur, la
tête un peu renversée sur l'épaule, sa mère
écoute en silence. Elle dort peut-être. Sa robe
est ouverte sur un sein pâle qui fléchit. Ses
fils la regardent silencieusement, et eux

aussi attendent que la nuit vienne sur la colline.

— Un hiver dur, dit l'homme en se frottant
les mains, au-dessus du poêle, mais un bon
printemps peut-être...

Il enlève ses vêtements trempés de neige. Il
les fait sécher sur une chaise, près du feu. Il
enlève ses souliers épais, ses chaussettes. L'o-
deur des vêtements mouillés se répand dans la
maison.

Il a tout pris du cœur de sa mère, il a bu
tout le lait de sa bouche avide et maintenant
il feint de dormir...

— Il y a aussi les orphelinats, dit la voix de
l'homme.

— Je préfère le noviciat, dit Grand-Mère
Antoinette, ça ne coûte rien, et ils sont bien
domptés.

— Mais je ne comprends pas pourquoi ils
ont besoin d'étudier, dit le père, dans sa
barbe.

— Ah! les hommes ne comprennent rien à
ces choses-là, dit Grand-Mère Antoinette en
soupirant.

— Grand-Mère, poursuit la voix de l'homme,
au fond de la cuisine, tandis que la flamme
s'élève lentement du poêle et qu'une petite fille
à la fenêtre regarde avec ennui le soleil couchant, les mains jointes derrière le dos, Grand-
Mère, je connais la vie plus que toi, je sais
à quoi se destinent mes enfants!

— A Dieu, dit Grand-Mère Antoinette.

Sa mère le prend dans ses bras. Elle le protège maintenant de son corps fragile, elle sou-
tient sa tête afin qu'il mange et boive en paix,
mais la longue silhouette de Grand-Mère veille
encore, tout près, poussée par quelque devoir
étrange à découvrir ce qui se passe dans le
secret de son être, interrompant parfois le fade
repas qu'il prend en songe. (Il épuise sa mère,
il prend tout en elle!) Sa mère, elle, ne dit
rien, ne répond plus, calme, profonde, déser-
tée, peut-être. Il est là, mais elle l'oublie. Il
ne fait en elle aucun écho de joie ni de désir. Il glisse en elle, il repose sans espoir.

« Cet enfant voit tout, dit Grand-Mère Antoinette, rien ne lui est caché. Comment l'ap-
pellerons-nous ? David, Joseph ? Trop de Joseph dans les générations passées. Des hommes faibles! Les Emmanuel ont été braves,
ils ont toujours cultivé la terre avec soin. Ap-
pelons-le Emmanuel.

. . . .

Sa mère écoutait gravement. Elle levait parfois la tête avec surprise, sa lèvre tremblait,
elle semblait vouloir dire quelque chose, mais
elle ne disait rien. On l'entendait soupirer,
puis dormir.

— Décidons le jour du baptême, dit Grand-
Mère.

Le père parla d'attendre au printemps. Le
printemps est une bonne saison pour les bap-
têmes, dit-il. Dimanche, dit Grand-Mère Antoinette. Et j'irai le faire baptiser moi-même.

La mère inclina la tête :

— Ma femme pense aussi que le dimanche fera l'affaire, dit l'homme.

Elle était assise dans son fauteuil, majestueuse et satisfaite, et l'ombre s'étendait peu à peu sur la colline, voilait la forêt blanche, les champs silencieux.

— Vous devriez me remercier de prendre les décisions à votre place, disait Grand-Mère Antoinette, dans son fauteuil.

L'homme s'habillait au coin du feu. Grand-Mère Antoinette lui jetait des regards fugitifs à la dérobée. Non, je ne ferai pas un geste pour servir cet homme, pensait-elle. Il croit que j'imiterai ma fille, mais je ne lui apporterai pas le bassin d'eau chaude, les vêtements propres. Non. Non, je ne bougerai pas de mon fauteuil. Il attend qu'une femme vienne le servir. Mais je ne me lèverai pas. Mais remuait encore sous la pointe de sa bottine une chose informe qu'elle tentait de repousser. Mon Dieu, une souris, un écureuil, il y a quelqu'un sous ma robe...

— Retournez à l'école et ramenez-le-moi, je veux le Septième, je vais lui apprendre à s'attarder sur les routes. Chaussez vos bottes, allez, toi, ne sors pas, Jean Le Maigre, tu tousses trop! Où étais-tu encore ? Tu lisais sous la table ?

— Je vais brûler son livre, dit la voix du père. Je te le dis, Grand-Mère, nous n'avons pas besoin de livres dans cette maison.

— Jean Le Maigre a du talent, M. le Curé
l'a dit, dit Grand-Mère Antoinette.

— Il est tuberculeux, dit l'homme, à quoi
cela peut-il bien lui servir d'étudier ? Je me
demande bien de quoi se mêle le curé — on
ne peut rien faire de bon avec Jean Le Mai-
ger. Il a un poumon pourri!

Sa mère écoute. Demain, à la même heure,
on prononcera encore les mêmes paroles, et
elle aura encore ce léger mouvement de la
tête, ce signe de protestation silencieuse pour
défendre Jean Le Maigre, mais comme aujour-
d'hui elle écoutera, ne dira rien, elle s'éton-
nera peut-être que la vie se répète avec une
telle précision, et elle pensera encore : Comme
la nuit sera longue. Un bandeau de cheveux
tombe sur son front, elle a fermé les yeux, elle
penche vers son enfant un visage morose qui
sommeille encore.

Debout sur une seule jambe, son livre à la
main, Jean Le Maigre cherche le nouveau-né
d'un regard humide. « Et lui, qui est-il ? »
demande-t-il sans intérêt. Il n'attend pas la
réponse, il tousse, éternue, disparaît à nouveau derrière son livre.

— Je te vois, Jean le Maigre, dit Grand-
Mère, tu te crois à l'abri mais je te vois.

— Tu ne peux pas me voir puisque personne ne me voit quand je lis, dit Jean Le
Maigre.

— Méfie-toi, je vais bientôt te faire boire
ton sirop, dit Grand-Mère.

— Je ne suis pas là, dit Jean Le Maigre. Je suis mort.

— Peut-être, dit Grand-Mère Antoinette, mais moi je suis vivante, et tant que je vivrai tu boiras ton sirop.

— Mais à quoi cela peut-il bien servir ? dit la voix de l'homme.

La vieille femme songe à prononcer l'une de ces malédictions que l'homme attend paisiblement au coin du feu : il hausse les épaules, il jouit déjà de l'injure qui le frappe, mais calme, souriant dans son fauteuil, Grand-Mère Antoinette choisit de se taire — non, pas cette fois, elle ne dira pas cette parole, elle sera d'une fierté inabordable : « Eh bien, dit l'homme, en se tournant vers le poêle d'où la flamme s'éteint — tu as raison, Grand-Mère, il vaut mieux qu'ils s'habituent à aller à l'école en hiver... »

Grand-Mère Antoinette dit qu'elle a connu des hivers plus durs que ceux-là, elle parle d'un ton méprisant et sec, et l'homme qui s'habille gauchement, dans l'ombre, éprouve soudain cette honte familière, quotidienne, que seule lui inspire la présence de cette femme.

— Des saisons noires comme la mort, dit Grand-Mère Antoinette, avec dédain pour le corps de cet homme, qu'elle observe d'un coin de l'œil. Ah! j'en ai vu bien d'autres...

— Oui, c'est une triste fin de journée, dit l'homme, avec lassitude. De ses ongles noircis de boue, Jean Le Maigre tourne gracieusement

les pages de son livre. Ravi comme un prince
dans ses vêtements en lambeaux, il se hâte de
lire.

— Mon Dieu que c'est amusant, dit-il en
riant aux éclats.

— Tu as tort de rire, dit le père, je peux te
l'arracher des mains, ce livre.

Jean Le Maigre secoue la tête, il montre son
front blanc sous les cheveux :

— Il est trop tard, j'ai lu toutes les pages.
On ne peut pas brûler les pages que j'ai lues.
Elles sont écrites là !

Pour la première fois, l'homme lève un regard obscur, vers la mère et l'enfant : puis il
les oublie aussitôt. Il regarde le bassin d'eau
souillée sur le poêle. Il se sent de plus en
plus à l'étroit dans sa veste.

— On étouffe ici, dit-il.

Un bouton éclate au col de sa chemise.

— Ce n'est pas moi qui vais recoudre ce
bouton, dit Grand-Mère Antoinette.

— Tu sais bien que ce sera toi, dit l'homme,
c'est toujours toi, Grand-Mère !

— Jean Le Maigre, dit Grand-Mère Antoinette, en levant une tête triomphante vers son
petit-fils, écoute — le noviciat... Il y a des
infirmeries, des dortoirs chauds... Tu y serais
si bien...

— Grand-Mère, dit Jean Le Maigre, derrière son livre, oh ! laisse-moi lire en paix,
laisse-moi tousser en paix puisque cela me fait
plaisir.

Jean Le Maigre tousse encore. Mon Dieu, cela fait tant de bien! Il éternue, il rit, il essuie son nez sur sa chemise sale.

— Grand-Mère, dit-il, je le sais par cœur, ce livre.

— Je vais le battre, ton Jean Le Maigre, dit la voix du père.

—Viens près de moi, dit Grand-Mère Antoinette à Jean Le Maigre, on ne peut pas te faire de mal quand tu es près de moi.

Jean Le Maigre se gratte le nez, les oreilles.

— Qu'y a-t-il encore ? demande Grand-Mère Antoinette.

— Rien, dit Jean Le Maigre.

Elle attire contre elle le garçon déguenillé, écarte de la main la frange de cheveux épars qui recouvrent son ·front, et fait cette découverte qui ne stupéfie personne :

— Mon Dieu, il a encore la tête pleine de poux !

CHAPITRE II

Alors, chancelant de fièvre, mais riant toujours, Jean Le Maigre offrait sa tête au supplice. Victorieuse, Grand-Mère Antoinette approchait la lampe, la cuvette et comptait les poux qui tombaient sous le peigne cruel. Ses sœurs (les Petites A, Héléna, Maria) au regard sauvage et aux lèvres boudeuses, approchaient sur la pointe des pieds. Elles se serraient les unes contre les autres, ou se blottissaient contre le mur, en attendant leur tour. Elles étaient timides et jouaient avec le bout de leurs tresses. « Trop de monde, disait Grand-Mère Antoinette, je ne veux plus voir ces enfants autour de moi! Mon Dieu, non! »

Et au moment où l'on repoussait Jean Le Maigre, il avait déjà relevé sa tête orgueilleuse et s'échappait des mains de sa grand-mère avec une agilité de renard. Le Septième, qu'ils n'attendaient plus, qu'ils avaient cru enseveli sous la neige ou dévoré par les loups, le Septième aux cheveux orange entrait en culbutant sur le seuil, rejeté par sa bande de frères. Grand-Mère Antoinette abandonnait sa tâche, brisait le chœur de petites filles.

— *Qu'est-ce qu'il a fait encore*, ah! je sais tout ! le monstre, il pue l'alcool !

Sa mère esquissait parfois un geste, un signe imperceptible de défaillance ou de pitié douloureuse, lorsque, fuyant les coups de ses frères aînés, le Septième se jetait à genoux devant son père. « Pas de pardon ce soir, disait Grand-Mère Antoinette. (Jean Le Maigre et les petites filles riaient dans la pénombre). Non, c'est fini, je ne veux plus qu'on lui pardonne... »

Le Septième feignait de s'amuser lui aussi (ce qu'il redoutait le plus, c'est lorsque son père enlevait sa ceinture et que sa grand-mère s'écriait à chaque coup : « Voilà, voilà, sur tes fesses, mon garçon! » Ensuite, on se sentait mieux. Il faisait plus chaud et une flamme délicieuse montait dans la gorge. Cette fois, j'ai été battu jusqu'au sang, pensait le Septième, en se relevant, mais aussi, il avait l'air de leur dire à tous : « Je vous remercie, je me suis bien amusé. Il remettait son chapeau, ses mitaines trouées). « Déshabille-toi, disait Grand-Mère Antoinette, la prochaine fois je te mettrai à la porte. Pas aujourd'hui, il y aura une tempête. Demain! »

La neige fondait sous les bottes du Septième. Elle s'écoulait de ses vêtements raides, de ses cheveux. Jean Le Maigre, qui avait une longue habitude des caprices de son frère, essuyait les traces d'eau derrière lui, et balayait la neige qui collait encore à son manteau.

— Je n'aime pas les voir ensemble, disait

Grand-Mère Antoinette. Non, je n'aime pas
cette alliance de diables!

— Ah! disait le Septième, chancelant d'i-
vresse, contre l'épaule de Jean Le Maigre, ah!
toi, tu ne peux pas savoir comme il fait
chaud! Comme on se sent bien...

— Enlève ton chapeau, disait Jean Le Maigre, tu as compris, enlève ton chapeau. Alors
quoi, ça brûle un peu ?

— Tu en as de la chance, toi, d'être aussi
maigre! Qui est-ce qui voudrait te battre
comme ça, hein ?

— Personne, disait Jean Le Maigre, men-
teur comme d'habitude, et songeant avec orgueil à ces marques brûlantes sur son corps,
à tant de coups reçus en silence, la tête haute
et le cœur léger.

— Tiens, moi, à ton âge, j'étais toujours
le premier à l'école! Ah! vraiment j'ai honte
pour toi, dit Jean Le Maigre, en haussant les
épaules.

— Menteurs, voyous, dit Grand-Mère Antoinette, lorsqu'elle vit passer devant elle le cou-
ple titubant et rieur, se tenant par le ·cou.
Ton père a raison, Jean Le Maigre, tu es
pourri jusqu'au cœur!

Et la vieille femme choisissait au hasard,
par sa tresse blonde, l'une des enfants, qui,
sanglotante sur les genoux de sa grand-mère,
ne savait pourquoi s'abattait, sur son front
craintif, une main sèche et violente, trop habile à chercher les poux...

★

Mais à cette heure-là de la fin du jour, in-
différents aux cris de leur grand-mère, Jean
Le Maigre et le Septième chantaient et bu-
vaient à la cave, en fumant les mégots que le
Septième collectionnait toujours après l'école,
pendant ses promenades oisives sur la route.

— Boire avec moi, ce n'est pas la même
chose, mais boire sans moi, c'est défendu. Tu
as compris ?

Le Septième approuvait d'un clignement
de la paupière. Son visage était si blanc dans
les lueurs de la chandelle que Jean Le Maigre le croyait malade.

— Donne-moi cette chandelle, dit Jean Le
Maigre, sévèrement.

Assis sur une énorme caisse de pommes de
terre, le Septième jouait à agrandir les trous
dans ses bas.

— Je me sens bien, Hup... Il fait chaud, mais
je me sens bien, Hup... Je pourrais même
écrire un poème, comme ça, tout de suite...
Hup... Hup...

— Tu as le hoquet! Mon Dieu, tu veux
qu'on nous entende jusqu'au grenier!

— Hup... Hup... ça passera vite, Hip... Hip...

— Moi, je sais boire au moins, je ne suis
pas malade. (Mais sa main tremblait légèrement en tenant la chandelle.) Comme la lune
est étrange ce soir dans le ciel! soupirait Jean

Le Maigre, regardant les minces rayons de lumière qui frappaient le carreau. Mon Dieu, je ne l'ai jamais vue comme ça!

— Mais il n'y a pas de lune, ce soir, répondait le Septième, incrédule, tournant vers Jean Le Maigre son petit visage ravagé par la fatigue. Où est-ce que tu vois la lune, toi, hein ?

— Tu bois trop, dit Jean Le Maigre en se servant à boire une autre fois, sans égard pour son frère. A ton âge, je faisais quelque chose d'utile, j'apprenais le latin, j'avais des conversations brillantes avec M. le Curé. Mais toi...

Le Septième somnolait contre son épaule...

— Hup... Hup... murmurait-il, comme un jeune enfant se plaignant dans son sommeil, abritant son visage sous le menton pointu de Jean Le Maigre, Hip... Je me sens si bien!

Abandonnant son frère au sommeil de l'ivresse, Jean Le Maigre ouvrait son livre aux feuilles jaunies par l'humidité. Ce livre était rempli de repas fabuleux, et comme l'odeur du pain frais passait sondain entre les pages, Jean Le Maigre sentit une légère morsure, dans son estomac vide. « La jeune fille, lisait Jean Le Maigre, en silence, la jeune fille apportait le pain chaud et la soupe fumante, la jeune fille... » Jean Le Maigre avait faim, il n'en doutait plus.

— Je vais aller chercher quelque chose à la cuisine, dit Jean Le Maigre en secouant son

frère endormi, par le bras. Je n'ai pas peur
de mon père, moi, je ne lui demande jamais
pardon. Je glisse sous la table, entre leurs
jambes, et oup... je vole un morceau de viande,
du pain. Et c'est fini. Et nous mangeons ensemble bien paisiblement.

— A ta place, dit le Septième, je lui demanderais pardon. Oui, avant de voler la viande.

Mais Jean Le Maigre n'était plus là.

★

Il y avait peu à manger, mais le père et les
fils aînés avaient un appétit brutal dont s'in-
dignait Grand-Mère Antoinette, assise au bout
de la table, sur sa chaise trop haute. Per-
chée comme un corbeau, elle disait des petits
ah! secs et désapprobateurs lorsque quelque
filet de nourriture écumeuse s'échappait de la
bouche avide de son gendre. Assoupis autour de la table, protégeant leur assiette
comme un trésor, les hommes et les jeunes
gens mangeaient sans lever les yeux. Profitant
du silence de ces têtes avares, Jean Le Maigre
glissait sous la table à quatre pattes, et assis
parmi les lourdes jambes abandonnées qui
s'offraient à lui, se croyait au milieu d'un
champ de pieds amers, et observait l'étrange
remuement de ces pieds nus sous la table.
Entre les jambes de son père, comme par le
grillage sombre d'un escalier, il voyait sa mère

aller et venir avec les plats, dans la cuisine.
Elle semblait toujours épuisée et sans regard.
Son visage avait la couleur de la terre. Il la
regardait préparer cette nourriture épaisse et
graisseuse que les hommes dévoraient à mesure, dans une avidité coutumière. Il avait pitié d'elle. Il avait pitié, aussi, de ces lourds
enfants qu'elle portait distraitement chaque
année, fardeaux obscurs sur son cœur. Il
lui arrivait aussi d'oublier complètement la
présence de sa mère et de ne penser qu'à son
compagnon prisonnier dans la cave, avec qui
il partagerait le repas du soir. Grand-Mère
Antoinette était complice de ses pensées.
Elle dérobait habilement le sel, le fromage,
les petites choses qu'elle attrapait çà et là,
d'une main hardie. Mais la viande, non! « Si
tu crois, pensait-elle, que je te donnerai de la
viande, pour le Septième, non, je ne céderai
pas! »

Jean Le Maigre chatouillait la cheville de
sa grand-mère, sous la table. « Ah! s'il pouvait vivre jusqu'au printemps, pensait Grand-
Mère Antoinette, décembre, janvier, février, s'il
pouvait vivre jusqu'au mois de mars, mon
Dieu, s'il pouvait vivre jusqu'à l'été... Les
funérailles, ça dérange tout le monde! » Tandis que Grand-Mère Antoinette comptait les
mois qui la séparaient de la fin tragique de
Jean Le Maigre, celui-ci n'en continuait pas
moins de vivre comme un diable! Il faisait
toutefois de pénibles efforts pour ne pas trahir

la brève toux qui remuait dans sa gorge. Il
craignait de réveiller en sursaut la paresseuse
violence de son père. Sa grand-mère, elle,
imaginait le bon repas qui suivrait les funérailles — image consolante de la mort, car
M. le Curé était si généreux pour les familles
en deuil; elle le voyait déjà, mangeant et buvant à sa droite, et à sa gauche, comme au paradis, Jean Le Maigre, propre et bien peigné,
dans un costume blanc comme la neige. Il y
avait eu tant de funérailles depuis que Grand-
Mère Antoinette régnait sur sa maison, de
petites morts noires, en hiver, disparitions
d'enfants, de bébés, qui n'avaient vécu que
quelques mois, mystérieuses disparitions d'a-
dolescents en automne, au printemps. Grand-
Mère Antoinette se laissait bercer par la vague des morts, soudain comblée d'un singulier
bonheur.

— Grand-Mère, suppliait Jean Le Maigre,
sous la table, un morceau, une miette...

Grand-mère soulevait le coin de la nappe
et apercevait un grand œil noir brillant dans
l'ombre. Tu es là, toi ? pensait-elle, déçue de
le retrouver vivant comme d'habitude, avec sa
main tendue vers elle, comme la patte d'un
chien. Mais malgré tout, elle le préférait ainsi,
elle préférait à la splendeur de l'ange étincelant de propreté, pendant le repas macabre —
ce modeste Jean Le Maigre en haillons sous la
table et qui levait vers elle un front sauvage
pour mendier.

★

Comme j'ai bien mangé, disait Jean Le Maigre, étonné de mentir encore, et surtout de mentir si joyeusement! Il ne voyait soudain qu'un remède à tout ce flot de mensonges qui coulait intarissablement de sa bouche — la confession, la bonne confession à genoux dans le confessionnal puant (mais Jean Le Maigre, grâce à son nez encombré, ne connaissait pas les mauvaises odeurs et éprouvait les rares parfums qui tombaient sous ses sens), il se voyait donc, bourdonnant ses péchés à l'oreille indiscrète du prêtre, jouissant de se trahir, remuant de bas secrets, dans une délectation fantasque!

— Eh bien, quoi, dit le Septième, pâle et effondré parmi les pommes de terre, est-ce que tu vois encore la lune ?

— Je pensais que tu as trop bu, dit Jean Le Maigre. Tu devrais te confesser, tiens, tout de suite, comme ça... Une grande confession, une confession générale! Autrement dit, il faut que tu me racontes toutes tes histoires vicieuses, et il y en a beaucoup, comme je le sais! Il faut tout me dire, et je vais te pardonner. Tu recommenceras encore, si tu veux.

Enfin, imitant la voix du curé, Jean Le Maigre baissa la tête et dit cérémonieusement :
« Mon enfant, parle, je t'écoute. »

AT THE SAME TIME AS THE CONFESSION

★

— La prière du soir! criait Grand-Mère Antoinette. Tout le monde au salon!

Mais aussitôt sortis de table, les frères aînés disparaissaient dans les nuages de leurs
pipes, accompagnés de leur père qui bâillait
de lassitude, les bretelles de son pantalon
flottant au large. Grand-Mère Antoinette les
sortirait un à un du refuge de leurs barbes et
de leurs journaux, et ils s'agenouilleraient
avec elle, sur le plancher froid.

Lorsqu'ils n'étaient pas à la cave, à l'heure
de la prière, Jean Le Maigre et le Septième
s'évadaient dans la nuit neigeuse, par la brèche de la cuisine. Toutes prises dans les lacets
de leurs bottes, le manteau rapidement jeté
sur les épaules, les fillettes couraient vers les
latrines avec empressement.

Jean Le Maigre et le Septième les raillaient
au passage, lorsqu'elles revenaient en tous-
sant dans leurs cheveux. Ils fumaient en attendant, sous les arbres, ou parfois, ne pouvant écarter toute la file de petites filles qui
se bousculaient vers les latrines, ils urinaient
dans la neige, sans interrompre leur paisible
conversation. Enfermés dans les latrines, ils
lisaient toute la bibliothèque du curé, écri-
vaient des poèmes d'une inspiration élancée,
tel ce poème de Jean Le Maigre qui commençait et finissait ainsi :

Combien funèbre la neige
Sous le vol des oiseaux noirs...

tandis que le Septième n'avait souvent dans
la tête, que des « Mon cœur plein d'ordures »
et des « J'ai froid, je perds mes dents et
mes cheveux... » qui ne s'élevaient jamais jusqu'au vol des corbeaux de Jean Le Maigre.

A huit heures, Grand-Mère Antoinette venait chercher, d'une main impérieuse, le déserteur ou la déserteuse qui rêvait encore sur
son banc de bois, dans la cabane nocturne.

★

Jean Le Maigre se leva.

— Assez, dit-il, je ne veux plus rien entendre. Mon Dieu, vous êtes témoin que je ne
veux plus rien entendre !

— Je ne l'ai fait qu'une seule fois, dit le
Septième, pour s'excuser.

— Et il ment avec ça, et il ose mentir !

Puis il se pencha vers le Septième, et à voix
basse, demanda :

— Mais comment était-ce au juste ?

Le Septième baissa les yeux.

— La chandelle va bientôt s'éteindre, dit-il,
tristement.

— Bon, je vois, dit Jean Le Maigre, tu n'as
pas de remords.

— J'ai du remords, dit le Septième, d'une
voix timide, mais c'était bien agréable.

— Ah! c'est bien ça le vice, dit Jean Le
Maigre, je comprends. Mais raconte-moi tout.
Il faut que je sache. D'abord, vous étiez
comme ça, en plein air, dans la neige ?

— Mon Dieu, dit le Septième, tu te trom-
pes d'histoire, c'était au mois de mai et il
faisait chaud dans la cour de l'école. Il y avait
des fleurs, il y avait aussi des framboises.

— Il n'y a pas de framboises au mois de
mai, dit Jean Le Maigre, sentencieux.

— Alors, c'était un peu plus tard, dit le Septième, qui malgré sa brève vie, avait déjà
connu des saisons vagabondes (saisons que
Jean Le Maigre aimait isoler dans sa mémoire,
que ce fût un été brûlant sur la route, pénétré
encore du souvenir de la faim et de la fatigue, ou un hiver rigoureux, passé à parcourir les bois, Jean Le Maigre aimait se rappe-
ler sans fin, toutes ces heures disparues...).
Mon Dieu, raconte, comment c'était!

Le Septième parla de la petite bossue qu'ils
avaient déshabillée ensemble dans la cour
de l'école, un jour de printemps. Jean Le Maigre protesta :

— C'est ton péché, ce n'est pas le mien!

— Pourtant c'était bien dans les framboises, répéta le Septième, et les abeilles bour-
donnaient....

— Quelle bonne petite bossue, soupira
Jean Le Maigre! Le lendemain, elle m'a donné
des crêpes. Un autre jour, elle m'a apporté
du papier, des crayons. J'ai écrit des poèmes.

Il n'ajouta pas que sa grand-mère les mit au feu, le soir même, s'écriant que cela était scandaleux, que Jean Le Maigre irait en enfer, si choquée par le titre : *A la chaude maîtresse...* qu'elle n'avait pas eu le courage d'aller plus loin.

— Elle était bonne, dit Jean Le Maigre, elle allait toujours à la messe. Elle avait un beau missel doré.

— Et maintenant ? demanda le Septième.

— Ah! maintenant, c'est une demoiselle, une dame, elle vit à la ville, elle fait encore des crêpes. Mais elle a beaucoup vieilli, dit Jean Le Maigre avec respect, je suppose que toutes les petites bossues vieillissent très vite. Moi, ce sont celles que je préfère.

Il s'arrêta pour cracher par terre, sous l'œil admiratif du Septième.

CHAPITRE III

« Héloïse, dit Grand-Mère Antoinette, secouant de sa poitrine la grappe d'enfants et
de petits-enfants qui, bercés par la monotone
et longue prière, avaient fermé les yeux et su-
çaient leur pouce en dormant, descends, Héloïse! » Elle descendait donc, calme et affli-
gée, le regard perdu dans un rêve étrange.
Elle portait encore le costume rigide du couvent qu'elle avait quitté quelques mois plus
tôt. Nostalgique des murs protecteurs, de ces
compagnes muettes avec qui elle avait partagé
une héroïque patience qu'elle croyait être la
vertu, Héloïse songeait qu'elle n'avait gardé
de ces jours heureux qu'un lourd crucifix
qui pendait maintenant aux murs de sa chambre infestée de rats. Ce crucifix ne lui inspi-
rait plus que de la terreur — et avec la terreur, cet amour du sacrifice qui s'exaltait dans
le jeûne. Mais qu'est-ce que le jeûne dans une
chambre solitaire, loin du couvent ? Bien pauvre est le martyre où l'on s'offre sans ardeur.
Héloïse s'ennuyait. Grand-Mère Antoinette venait déposer chaque jour, sur le seuil de la
chambre de la jeune fille (Qui sait, pensait-

elle, c'est peut-être une sainte ?) un maigre repas enveloppé du journal du samedi. Mais
bientôt irritée par l'obstination d'Héloïse à ne
pas vouloir manger, elle monta chez elle plus
rarement, et se contenta de lui crier, du bas
de l'escalier : « Descends! Héloïse, c'est la
prière. »

Grand-Mère Antoinette disait encore à M. le
Curé : « Nous avons une sainte à la maison. » Mais comme le curé lui-même mangeait bien et ne jeûnait que la veille de Pâques (et encore brisait-il son jeûne pour boire
de la bière), Grand-Mère Antoinette vouait à
l'ombre l'extravagante dévotion de la jeune
fille. Lorsqu'ils étaient rudement battus par
leur père, Jean Le Maigre et le Septième
avaient l'habitude d'entendre : « Et votre
sœur, votre pauvre sœur qui jeûne depuis huit
jours... » ce qui couvrait aussitôt d'une gri-
mace de dégoût leur visage indigné.

— Tu parles, on ne peut même plus aller
en enfer tout seul, maintenant, disait Jean
Le Maigre. Tiens, j'ai honte de la voir jeûner
comme ça! C'est de l'égoïsme, ce n'est pas
pour toi et moi qu'elle veut crever, c'est seulement pour nous ennuyer. Ah! les gens vertueux me dégoûtent!

— Mais, disait le Septième, que le mystère
d'Héloïse attirait vaguement, on ne peut pas
comprendre ces choses-là, nous... Ce n'est pas
sa faute si elle est née religieuse!

Comme l'avait écrit Jean Le Maigre dans

l'un de ses nombreux chapitres dédiés au *por-
trait d'Héloïse* : « Dès l'enfance, Héloïse a
manifesté cet amour de la torture. Quand
tout le monde trayait les vaches autour d'elle,
Héloïse, à genoux dans le foin, méditait, les
bras en croix, ou bien regardait jaillir des
gouttes de sang de ses doigts transpercés
d'aiguilles. Combien de fois ma grand-mère
ne lui a-t-elle pas arraché des mains le glaive
et la couronne d'épines dont elle s'accablait
pieusement le vendredi. »

— C'est assez, disait Grand-Mère Antoinette,
qui ne perdait jamais la mesure (ou si elle la
perdait, croyait-elle, ce n'était que par orgueil). Calme-toi un peu.

Etrangère au travail, dédaigneuse de ses
sœurs, qui, vers leur treizième année, se trans-
formaient en lourdes filles, et qui, aux
champs, travaillaient comme des garçons ro-
bustes, méprisant ces visages bouffis, ces che-
villes trop rondes, ces mains rouges, Héloïse,
avec l'aide de sa grand-mère qui voulait ré-
gler au plus vite cette précoce vocation et qui
eût voulu séquestrer toute sa famille au noviciat, à un moment ou l'autre, Héloïse choisissait le couvent.

— Là, tu pourras t'apaiser un peu, dit
Grand-Mère Antoinette. Des exaltés comme toi,
Dieu n'aime pas ça beaucoup !

Bein qu'elle fût très jeune encore, Héloïse
était déjà desséchée comme une tige morte.
« A ta place, je fleurirais un peu, dit Grand-

Mère Antoinette, en la quittant. Mange, cela te
fera du bien. » Surprise, Héloïse découvrit
que la règle du couvent était douce, et elle s'y
abandonna comme si, pour la première fois,
elle avait découvert la joie de l'amour. Elle
sortit de l'extase avec des sens renouvelés,
un sentiment étrange de la vie. Les nuits lui
parurent plus fraîches, l'aube, à peine voilée
par le grillage de sa fenêtre, d'une intense
beauté. Toutes ces émotions l'épuisèrent et
elle n'eut plus la force de prier. Ses médita-
tions se perdirent en réflexions païennes. Se
maîtrisant de tout son courage pour ne pas
bondir au réfectoire dix fois par jour, elle
ne put se défendre de la tentation de la gourmandise, lorsque sonnait la cloche de midi.
La nourriture délicate, les mets soignés, la
blancheur des draps, et à son insu, la voix
des religieuses, contribuèrent au réveil d'une
sensualité fine et menaçante. Non seulement
la tentation d'Héloïse se tourna vers la nourriture, mais de plus en plus vers autre chose,
qui, pour elle, ne se précisant jamais dans
son imagination ne lui parut jamais être le
désir, mais qui n'était rien d'autre que le désir errant sans but.

Habilement déguisé, ce désir, pendant quelque temps, allait d'un visage à l'autre, de la
compagne de cellule au jeune homme qui venait porter les œufs le matin. Il coulait dans
le cœur d'Héloïse sans laisser de trace, naissait
d'une parole tendre, du rire étincelant d'une

jeune novice, d'un geste maternel de la Supérieure, et Héloïse y consentait sans le savoir. Peu à peu, elle perdit cette sérénité dont elle avait joui si peu de temps, et se livrant à ses scrupules, elle retomba dans la prière comme dans un piège. Sa piété excessive, les brutales privations qu'elle s'imposait, attirèrent l'attention de la Supérieure qui n'aimait pas que l'on dérange l'ordre établi par des élans personnels. Celle-ci n'était pas très patiente avec les maux de l'âme et vivement interrompit les confidences d'Héloïse : « Mais purgez-vous, ma fille, vous vous sentirez mieux! » Héloïse essuya quelques larmes et décida de changer de confesseur. Le nouveau confesseur était un homme jeune, à peine sorti du séminaire, le visage bourgeonnant, la tête rasée. A peine avait-il posé sur Héloïse un regard triste, plein d'une farouche compassion pour une détresse trop semblable à la sienne, qu'Héloïse se sentit éprise de lui. Quelques mois plus tard, Héloïse revenait à la maison avec une lettre de la Supérieure. La lettre parlait d'épuisement, de crises nerveuses; Grand-Mère Antoinette dit que les religieuses avaient une écriture illisible et elle détruisit la lettre. Héloïse monta à sa chambre et ne descendit pas manger ce soir-là, ni les autres soirs.

★

Héloïse avait fermé les yeux. Elle priait, un
peu à l'écart, loin de ses frères et des jeunes
enfants. Les *ave* mélancoliques coulaient de
ses lèvres comme des plaintes. Seules y répon-
daient quelques jeunes filles toujours vaillan-
tes — celles que Jean Le Maigre appelait les
grandes A : Aurélia, Anita, Anna... Les voix
d'hommes s'étaient tues, et Grand-Mère n'ouvrait plus la bouche que pour dire des
« A...men, A...men » au milieu des bébés
accroupis. Héloïse parlait d'une voix affaiblie
par les jeûnes; elle murmurait parfois : *mon
Dieu, mon Dieu*, comme si elle avait été sur le
point d'étouffer, et sa grand-mère, au loin,
répondait A...men A...men! et soudain, il y
avait un instant de silence.

★

Dans la cave, Jean Le Maigre et le Septième
avaient suspendu leur confession pour se tirer aux cartes.

— Ton avenir est sombre, dit le Septième,
très sombre, il s'éteint comme la chandelle.
A ta place, je demanderais l'extrême-onction
tout de suite. Ce serait fini. Et puis, on ne
sait jamais, ça pourrait te guérir.

— Ah! Si tu crois, dit Jean Le Maigre, si
tu crois que je m'en irai au paradis tout doucement, comme ça, avec une bénédiction! (Il

renifla profondément.) J'ai une idée, dit-il,
je vais faire mon œuvre posthume !

★

— J'ai connu un homme qui était très malade, dit le Septième (il n'osa pas avouer
qu'il s'était beaucoup amusé pendant l'agonie
de Grand-Père Napoléon), plus malade que
toi, il toussait, il crachait du sang.

— Mais moi aussi je crache du sang, dit
Jean Le Maigre qui s'offensait que l'on man-
que de respect envers une maladie qu'il aimait
comme une sœur.

— Il a reçu les derniers sacrements, et le
lendemain, il était guéri. Il allait couper son
bois, comme d'habitude.

— Mais moi, une fois mort, je n'ai pas envie de me lever pour aller couper du bois, dit
Jean Le Maigre. Je prendrai mes ailes et je
m'envolerai.

— Mais où ? demanda le Septième avec inquiétude...

— Toi, tu resteras ici, tu te lèveras à six
heures et tu iras couper le bois. Moi je volerai
dans le ciel comme une colombe.

— Une colombe ? dit le Septième.

— Pourquoi pas une colombe ? dit Jean Le
Maigre, et il fit disparaître la carte dans sa
poche.

Le Septième mêla les cartes.

— Méfie-toi d'une femme, dit-il. Elle veut

t'amener à la ville. Elle a de mauvaises intentions.

— Mon Dieu, c'est encore Grand-Mère Antoinette et son noviciat! dit Jean Le Maigre, épouvanté. Mais il y a quelqu'un qui te veut du bien. Il habite tout près. Il est très gentil. Laisse-moi voir.

— Il est sage et bon, mais personne ne le comprend, dit le Septième. Sage et bon en dedans, mais c'est un voleur. Il n'y a personne de plus voleur que lui. Il ne veut pas que tu ailles à la ville, mais comme il est courageux, il ne versera pas une larme lorsque tu partiras.

— Mon Dieu, mais ce voleur, c'est toi! dit Jean Le Maigre.

— Moi, voleur? dit le Septième. Pas du tout.

— Des vols, beaucoup de vols, dit Jean Le Maigre, je les vois qui nagent sous mes yeux, comme des microbes dans l'eau. Trois oranges, une roue de bicyclette, un patin, des ciseaux. Et plus bas, je vois les crimes. Trop nombreux, les crimes. Tu es allé trop loin, pas de pardon ce soir, dit Jean Le Maigre. Une poule? Tiens, une poule. Un renard, un double crime puisque tu as vendu la peau. Toute une famille de chats jetés dans le puits. Ils vont te poursuivre jusqu'à la fin de tes jours, de grands tourments t'attendent, mon enfant, tu seras tourmenté comme un moine par le démon!

— Mon Dieu, dit le Septième, est-ce que tu vois aussi les lièvres, tous les lièvres avec des petites taches de sang sur la queue ?

— Ils glissent sur la neige. Ils sont là, dit Jean Le Maigre. Ils remuent les oreilles. Ils attendent que tu leur rendes la vie. Trop de crimes sur ta conscience, dit Jean Le Maigre, tu devrais prendre un bain dès ce soir, (comme il n'y a pas de baignoire c'est difficile), mais il serait préférable que tu ne te couches pas avec tous ces crimes sur ta conscience. Tu as les pieds sales, dit Jean Le Maigre, il serait préférable que tu ne dormes pas avec moi, cette nuit. Et les mains souillées de sang. Je ne veux pas dormir avec un meurtrier. Mais tu as l'âme généreuse, dit Jean Le Maigre, tu as accepté le châtiment (Jean Le Maigre et le Septième avaient passé une partie de leur enfance en maison de correction), il est bien possible que l'on te pende un jour, ne m'oublie pas à l'heure de ta mort, quand les pies te mangeront par le nez!

— La chandelle s'éteint, dit le Septième, j'entends des pas. Il voudrait mieux monter tout de suite.

— Ne m'oublie pas, dit Jean Le Maigre, car moi aussi j'ai des crimes sur la conscience, la paix m'a quitté, je ne dors plus, je grince des dents.

Jean Le Maigre avait pris son envolée, le Septième craignait l'apparition de sa grand-

mère. Oh! mon Dieu, pensait-il, il va encore
réciter des poèmes...

Ma tête est un aquarium où nagent les choses
Tes crimes et les miens,
Comme des chevaux de mer...

— Mais c'est épouvantable, dit le Septième,
et voulant étonner son frère, il poursuivit :

Dans la soupe que je mange
Je les vois, ils nagent, les poissons
Les chats et les renards
Au souvenir de ces meurtres
Je perds l'appétit...

Grand-Mère Antoinette mit fin au déplorable
lyrisme du Septième par un : « Héla, qu'est-
ce que je vois dans mes pommes de terre ? »
qui fit déguerpir vers le panier de lessive,
Jean Le Maigre enseveli sous une masse de
jupons, et le Septième dont la tête rouge dé-
passait de la gerbe de linge. C'est le Septième
qui en sortit le premier; bénéficiant encore
de la clémence de sa Grand-Mère, Jean Le
Maigre resta au fond.

— Je ne me donnerai pas le mal de te parler, dit Grand-Mère Antoinette à Jean Le Maigre. Je ne prononcerai pas une seule parole
pour un vaurien comme toi.

Et tirant le Septième par l'oreille, elle le
poussa vers l'escalier.

★

Le Septième implora encore le pardon mais
sa grand-mère, nettement, le lui refusa.

— Tu en as de la chance que ce ne soit
pas ton père, si je l'avais laissé descendre à
la cave, tu aurais les fesses si rouges que
tu ne pourrais plus jamais t'asseoir sur un
banc d'école.

Le Septième n'aimait pas l'image, mais
l'idée de ne plus s'asseoir sur un banc d'é-
cole le réconfortait.

— Tu en as de la chance, dit Grand-Mère
Antoinette, qui, d'une main, tenait la tête du
Septième sous l'eau, et de l'autre, secouait la
pompe.

— De l'eau froide, ça ne te fera que du
bien!

Les petites filles riaient, battaient des
mains.

— Anita, Roberta, dit Grand-Mère Antoinette, mettez-moi ces diables au lit!

Les Roberta-Anna-Anita avancèrent comme
un lent troupeau de vaches, chacune entourant
de ses larges bras une espiègle petite fille aux
cheveux tressés, qui, dans quelques années,
leur ressemblerait, et qui, comme elles, sou-
mise au labeur, rebelle à l'amour, aurait la
beauté familière, la fierté obscure d'un bétail
apprivoisé.

— Et le Septième, mettez le Septième au

grenier, ou à quelque part. Je ne veux plus
le voir.

Roberta qui avait la main forte, prit le Septième par ses cheveux ruisselants, et le traîna
vers sa chambre en grognant un peu.

— Ah! vraiment c'est injuste, dit le Septième en glissant sous l'unique couverture,
près de Jean Le Maigre, tout le monde est
de mauvaise humeur ici! Je pars. Oui, demain
matin.

— Encore toi, dit Jean Le Maigre, et les
cheveux mouillés avec ça! Je ne veux pas de
toi dans mon lit.

Mais dans « son » lit, il y avait déjà
Pomme et Alexis, et le Septième que l'absence
d'espace obligerait à dormir sur le côté.

— J'en aurai de l'espace à moi, dit le Septième, oui j'en aurai un lit à moi, quand tu
iras au noviciat...

— Je ne t'entends pas, dit Jean Le Maigre,
je dors.

Et il poussa du coude Pomme qui dormait ferme sur son ventre rond, et Alexis,
qui, comme d'habitude, roula par terre en
ronflant.

— J'ai froid, dit le Septième.

— Tu peux me le demander à genoux, dit
Jean Le Maigre, je ne te réchaufferai pas.
D'ailleurs je suis profondément endormi. Je
rêve que je traverse la rivière en patins. La
rivière est gelée, mais j'ai peur qu'elle s'ouvre tout à coup. J'ai de plus en plus peur.

Je crie au secours! Mais toi, tu ne m'entends
pas, petite brute, va!

— Ce n'est pas ma faute, dit le Septième,
je suis de l'autre côté de la rivière, et puis,
ce n'est pas ma faute si tu rêves...

— Tais-toi, dit Jean Le Maigre, qu'est-ce
que je racontais donc? Tu m'as interrompu
au meilleur moment. Ah! Oui, je tombe dans
un trou, l'eau est glacée. Je suis triste. Un
aigle traverse le ciel. Je me noie! Mais soudain, un vers superbe sort de ma bouche :

> *O Ciel, d'un sombre adieu*
> *Je...*

Oup! Je n'ai pas le temps de finir. Je dis-
parais. Les eaux se referment!

> *Mains étrangleuses à mon frêle cou,*

Oup! c'est fini. Je ne suis plus sur cette
terre.

— Comme j'ai froid, dit le Septième, d'une
voix tremblante.

— Qu'est-ce que l'on entend comme ça?
demanda Jean Le Maigre. Des ours? Gouli...
Goulu.... Il y a un ours autour de la maison...

— C'est l'estomac de Pomme, tu le sais
bien, dit le Septième.

— Plus mon estomac rétrécit, plus le sien
se gonfle, dit Jean Le Maigre. C'est injuste. Et
avec ça, qu'il le laisse chanter toute la nuit!

— Approche, viens plus près, ces égoïstes
ne nous laissent pas assez de place. (Alexis

ronflait sous le lit qui voguait comme une barque.) Nous sommes trop bons avec les gens, ils abusent de nous. Rappelle-toi que nous sommes supérieurs à tout le monde. Moi, au moins. Enlève ta chemise. Elle sent horriblement mauvais. Je me demande bien comment elle dort, Héloïse...

— Avec sa robe de couvent, dit le Septième, et sa croix sur la poitrine... Comme c'est merveilleux !

— Il est possible, dit Jean Le Maigre, qu'elle dorme toute nue. On ne sait jamais.

— Bonne nuit, dit le Septième.

Le Septième s'endormit aussitôt. Jean Le Maigre et lui couraient dans le bois; il pleuvait mais le soleil brillait encore entre les arbres. Jean Le Maigre ouvrait la bouche pour boire la pluie. Le Septième pensait tristement : Il faut que j'arrive le premier à l'orphelinat, car le directeur va nous demander de conjuguer le verbe *mentir* et Jean Le Maigre ne le sait pas. « Il pleut si fort, disait Jean Le Maigre qui courait en riant derrière lui. Où es-tu ? demandait-il de sa voix suppliante et claire... Je ne te vois plus. » Il faut que j'arrive le premier, pensait le Septième, il faut que je réponde au directeur à sa place. On sonnait déjà pour la messe, à la chapelle de l'orphelinat, le Septième pensait avec désespoir qu'il n'arriverait pas à temps...

Je mens, tu mens, il ment,

disait le Septième, lorsqu'il ouvrit les yeux,
avec, à ses côtés, Jean Le Maigre qui luttait
contre les puces.

— Les puces nous mangent, dit Jean Le
Maigre, la vie est impossible.

— A ta place, je dormirais un peu, dit le
Septième (mais lui-même craignait le sommeil
imprudent qui le ramènerait à l'orphelinat),
le sommeil est nécessaire à tout le monde.

— Pas à moi, dit Jean Le Maigre, c'est du
temps perdu. Tiens, je devrais écrire des poèmes.

Il voyait déjà le titre : *Poème obscur écrit
sur le dos de mon frère pendant son sommeil
irréprochable.* Le Septième s'éloignait maintenant, il longeait les murs de l'orphelinat,
il suivait les indications que lui montrait
le directeur, d'un doigt cruel : *Trois jours
sans pain et sans eau — Défense de tousser
— Il n'est pas permis de bouger au lit— Nous
ne sommes pas responsables des enfants perdus — Pour les puces corridor de droite mais
enlevez d'abord votre chemise.* Le Septième allait choisir le salon des puces, quand il sentit le genou de Jean Le Mai-
gre qui glissait entre ses jambes.

— Nous ferions mieux d'aller nous confesser tout de suite, demain matin, dit le Septième, qui se hâtait d'enlever sa chemise, tandis que Jean Le Maigre poussait Pomme de
l'autre côté du lit.

— Dépêchons-nous avant qu'ils ne se réveil-

lent, dit Jean Le Maigre, ces égoïstes là nous
envieraient trop!

— Maintenant, je n'ai plus froid, dit le Septième, qui appréciait les chaudes caresses de
son frère, mais qui ne pouvait se défendre de
pousser des petits *aïe!* plaintifs au souvenir
des coups de la journée sur son corps endolori, par la joie comme par la peine. Soudain :
« *Non, défense de toucher à mon derrière,* il
brûle comme un brasier! Aïe... Aïe... »

— Si tu continues à te plaindre comme une
petite vierge des bois, dit Jean Le Maigre, je
vais réveiller Pomme, lui au moins ne parle
pas en même temps...

— Non, ne le réveille pas, dit le Septième,
désireux que se répètent toute la nuit l'activité
douce et brutale de Jean Le Maigre et son in-
souciante caresse qu'il interrompait de poèmes, d'histoires étranges, laissant le Septième
à la dérive, mais le retrouvant à un moment
ou l'autre sans lui demander la permission.

Jean Le Maigre avait une telle habitude
du corps de son frère, qu'il lui arrivait de l'oublier, et de lui tourner brusquement le dos
en parlant d'autre chose. Auprès de ce vieux
camarade, négligeant jusqu'à ses plaisirs, dé-
contenancé mais patient, le Septième feignait
de dormir, ou cachait sa déception.

— Nous irons nous confesser à la première heure de l'aube, dit Jean Le Maigre, qui
avait déjà l'eau à la bouche, à l'idée de dire
ses fautes au curé, et je vais te surveiller de

près pour ne plus que tu ne recommences, dit
Jean Le Maigre, ni seul, ni avec d'autres. Rappelle-toi que c'est une mauvaise habitude... La
preuve, c'est qu'Héloïse ne le fait pas, ni
grand-mère, ni Anita, ni Aurélia, etc. Il serait
temps que tu penses à te corriger, et moi
aussi avant l'heure de ma proche mort. Les anges du paradis vont me faire de graves reproches. Je dirai que c'était pour avoir un peu de
chaleur, que malheureusement, mon pitoyable
frère m'a souvent induit en tentation, et que
les poètes goûtent à la débauche.

— Tu n'as pas pensé à ma pauvre âme, dit
Jean Le Maigre, en tirant vers lui la tête de
Pomme qui glissait vers le vide, tu ne penses
qu'à toi, dit Jean Le Maigre, c'est honteux.

— Ce n'est pas le bon exemple qui t'a man-
qué pourtant, poursuivait Jean Le Maigre, indifférent à la nerveuse jambe du Septième
qui s'étirait contre la sienne.

— L'écume monte de plus en plus, dit le
Septième, dans un souffle, ce n'est pas le...

Jean Le Maigre se tut un instant, car coulait à ses doigts la dernière caresse mouillée
du Septième.

— Eh bien, reprit Jean Le Maigre, qui maî-
trisa vite un petit frémissement, nous avons
bien travaillé, malgré le peu d'espace que nous
ont laissé ces égoïstes. Nous les récompense-
rons. Demain soir, nous leur laisserons la place
et nous irons sous le lit. Maintenant, répare
la catastrophe, il ne faut pas scandaliser notre

grand-mère, par nos *traces funestes*. Remets
ta chemise, où est la mienne au juste ?

— J'aimerais beaucoup me confesser tout de
suite, dit le Septième, qui résistait mal au
sommeil, et qui voyait danser les flammes de
l'enfer sur le mur.

— Moi aussi, dit Jean Le Maigre, même à
cette heure de la nuit, nous devrions faire
une visite chez des gens vertueux : cela t'a-
paiserait et te permettrait de ne pas descendre en enfer, dès cette nuit. Nous devrions visiter Héloïse. Ce bon exemple nous ferait du
bien.

Ce qu'ils firent aussitôt en sautant du lit.

★

La visite chez Héloïse se transforma en roman qu'ils écrivirent à l'aube, entre le lit et
l'armoire, les pieds nus dans l'air glacé qui
coulait de la fenêtre et qui causait ces maux
d'oreilles dont avait beaucoup souffert Jean Le
Maigre, mais qu'il finissait par oublier, enflammé par le beau titre inscrit dans son
cahier : *Journal d'un homme à la proie
des démons,* que contemplait le Septième,
penché sur son épaule. « Je veux parler ici,
écrivait Jean Le Maigre qui tombait de sommeil, mais n'en parlait pas) de notre visite
chez notre sœur la sainte, qui ne mange pas,
ne vole pas et ne tue pas, comme la plupart

des gens, et qui n'a pour compagnie, dans sa
chambre, qu'un prie-Dieu, un crucifix, et une
famille de souris, qui croissent en grand nombre chaque année. La piété d'Héloïse est donc
le sujet de ce triste roman dont vous lirez la
suite, chaque nuit, à la même heure, si les
oiseaux de l'insomnie vous tourmentent
comme ils me tourmentent! Hélas! mon frère
et moi, après une vie pécheresse, voulons nous
convertir. Il est trop tard, mais on y pense
toujours trop tôt. C'est donc pour convertir
mon frère que j'avais pensé lui offrir le bon
exemple de notre sœur, que je croyais à genoux et récitant ses oraisons, pendant la nuit,
mais qui — j'ai honte de l'avouer ici — ne
priait pas du tout, bien au contraire. Je ne
veux pas entrer dans des descriptions qui cho-
queraient ma grand-mère, car, indiscrète
comme elle est, il est certain qu'elle lira ces
pages. Mais mon frère et moi avons été très
surpris — et heureux de l'être — en découvrant que notre sœur faisait par elle seule ce
que nous nous aimons à faire à deux, ou à
quatre, quand Alexis et Pomme sont réveillés,
mais ils sont si paresseux qu'ils préfèrent dormir. Cet événement est d'une grande importance, et il serait bon de lui consacrer un cha-
pitre intitulé *Les déboires d'Héloïse* ou *La
chute d'Héloïse* ou *Héloïse aperçue de nuit à
l'heure de la tentation*, mais la pauvreté arrête
ma plume *dans son élan*, non pas seulement
la pauvreté mais le froid, car l'encre gèle au

bout de ma plume, et moi-même en cette froide nuit de janvier... »

— Tu parlais d'Héloïse, dit le Septième.

« Il y a un mystère Héloïse, poursuivait donc Jean Le Maigre, comme il y a un mystère Jean Le Maigre. Le lecteur peut me suivre dans mon douloureux pèlerinage vers la mort, la forêt s'épaissit, mes yeux se ferment :

> *Et je vieillis de mille ans*
> *A ma solitude songeant.*

« Je dois donc suspendre ici, la palpitante histoire d'Héloïse. Pour plus de détails, attendez jusqu'à la semaine prochaine. Ayant levé les yeux de mon cahier, je viens d'apercevoir mon frère, hélas foudroyé par le sommeil et qui gît, la face contre terre... Je vais moi-même défaillir sur le sol dans quelques instants et me servir du coude de mon frère comme oreiller. Que le lecteur veuille bien pardonner mon absence. Ma gorge brûle, mes reins chancellent, mon genou fléchit, et de mon nez douloureux... »

Jean Le Maigre s'était endormi.

★

Jean Le Maigre se réveilla dans un lit chaud, soutenu par l'épaule de sa grand-mère, qui, après l'avoir gavé de miel et de gâteaux de riz, lui annonça que M. le Curé était en bas, et l'attendait pour l'accompagner au noviciat.

— Je n'ouvrirai pas les yeux, dit Jean Le Maigre, je ne bougerai pas.

Mais soulevant une paupière, il aperçut le Septième qui riait dans un coin.

— Je t'habillerai de force, dit Grand-Mère Antoinette qui décrocha de la chaise la culotte de Jean Le Maigre, tandis que le Septième allait et venait dans la chambre, apportant les bas, les souliers, la chemise propre, et une mince cravate noire que Grand-Mère Antoinette nouait au cou de ses petits-fils avant de les enfermer au noviciat pour la vie.

Si je porte cette cravate, je suis perdu, pensa Jean Le Maigre, et il disparut sous les draps.

— Grand-Mère, épargne-moi le déshonneur de... Epargne ton enfant, de... Car si je me lève, ce ne sera que pour me servir de ton pot de chambre qui est sous le lit...

— Mon Dieu, dit Grand-Mère Antoinette, et il me provoque avec ça!

Elle n'avait pas eu le temps de s'écrier : « Ah! le bandit, le misérable.... » que la chose était faite, et que Jean Le Maigre glissait la couverture par-dessus sa tête.

— Aide-moi, dit Grand-Mère Antoinette au Septième.

Et ils le tirèrent par les pieds...

Jean Le Maigre se laissa laver, vêtir, sans fournir le moindre effort, les bras croisés, la

tête rejetée en arrière, comme si ce départ
pour le noviciat ne l'eût pas concerné. Le Septième laçait les souliers de Jean le Maigre
d'un air appliqué.

— Tu ne l'ignores pas, mon cher frère, disait Jean Le Maigre d'un ton solennel, ma
grand-mère me pousse vers le tombeau. Mais
je songe à emporter avec moi mes œuvres pos-
thumes et celles qui ne le sont pas. Aussi,
quand tu auras attaché mes bas avec des fi-
celles pour ne pas qu'ils tombent et traînent
derrière moi comme des ailes meurtries, va au
secours de mes poèmes, de mes romans, de
mon œuvre complète qui gémit — la pauvre
— sous tous les matelas de la maison, à cet
endroit que tu connais, sous les planches, dans
les latrines. Ainsi épargné de la vengeance de
mon père...

Le Septième revint aussitôt avec une pile de
manuscrits qu'il déposa avec soin dans la valise de Jean Le Maigre, lui disant de penser
à lui pour les préfaces.

— Les préfaces et les épilogues, dit le Septième, en fermant la valise.

Et ce fut le départ. Mais dans son indifférence à partir, Jean Le Maigre oublia de faire
des adieux.

CHAPITRE IV

Sur le banc de derrière, parmi la silencieuse
moisson du curé pour le noviciat (quatre garçons aux lèvres pâles, au menton étroit, dont
les yeux hypocritement baissés sur un livre de
prières ou un chapelet, avaient soudain l'éclair
fuyant du mensonge...), dans la voiture, qui,
comme un vieux cheval, glissait en hennissant
sur la route de glace, Jean Le Maigre, sa cas-
quette rabattue sur le front, les bras croisés
sur sa poitrine, se réjouissait calmement d'ap-
partenir à une race supérieure. « Moi, pensait-
il, je jouis de la considération particulière de
M. le Curé, et dans quelques années, je pourrais avoir des entretiens avec les évêques,
mais eux, avec leurs manières pieuses et leurs
visages de filles, eux, ces misérables... »

— Jean Le Maigre, dit M. le Curé qui voyait
tout de son miroir, ne crachez pas par terre!

Jean Le Maigre soupira d'ennui. Ah! mon
Dieu, quelle épreuve pour mon frère! Il
va se perdre, il va damner son âme sans moi!
C'est une nature faible, il se décourage vite. Il
faut que je pense à m'évader dès maintenant.
Sans moi, le Septième va se jeter dans l'ivro-

gnerie, il ira voir les femmes. Mon Dieu, quel désastre! Et ses nuits, ses misérables nuits sans moi! Oui, il faut que je m'évade tout de suite en arrivant. Demain, au plus tard. S'il n'y a pas de lune.

Jean Le Maigre entreprenait donc cette évasion compliquée, il sautait par la fenêtre du dortoir (n'ayant pas oublié de boucler à sa ceinture, toute une liasse de romans et de poèmes), il tombait douloureusement sur ses genoux, dans la cour, quand M. le Curé dit d'une voix bourrue : *Tout le monde dehors pour pousser la voiture...* Mais si les quatre dévots se jetèrent sur la route pour pousser la voiture, Jean Le Maigre et M. le Curé ne bougèrent pas de leur siège et discutèrent de la rigueur du climat en buvant de la bière.

— C'est seulement une question de moteur, disait M. le Curé. Il ne peut pas supporter le froid. Il faut s'arrêter pour le réchauffer, ensuite pan... pan... on repart. La preuve, voyez...

Les quatre Petits Frères rentrèrent dans la voiture en courant.

— Ce n'est rien, dit M. le Curé, on s'arrête comme ça, souvent, mais on arrive toujours... Maintenant, quelle direction ? Ah! oui, toujours vers le sud...

Ils s'arrêtèrent ainsi plusieurs fois. Du sud, ils se retrouvèrent au nord, au milieu d'un champ de poireaux.

— Un effort, un grand effort, cette fois, dit M. le Curé.

Et entraînant Jean Le Maigre, il sortit et s'enfonça dans la neige jusqu'aux genoux.

— C'est une question de poids, je suis trop lourd, aidez-moi, Jean Le Maigre, voilà, comme ça, et maintenant quelle heure peut-il bien être ? Il faut tout de même arriver avant la nuit. Mouchez-vous donc un peu, Jean Le Maigre, ça coule comme de l'eau d'érable. Ensuite, nous déciderons comment sortir d'ici.

Jean Le Maigre contemplait les oreilles de M. le Curé.

— Pas sur votre manche, dit M. le Curé. Avec ce mouchoir !

« Il a des oreilles impressionnantes, pensait Jean Le Maigre, elles en ont abattu des péchés, ces oreilles-là ! Les plus beaux péchés de la terre ont coulé dedans. La gourmandise, la luxure, l'avarice, l'orgueil. Ah ! l'orgueil, droit comme une flèche, et l'envie, mou comme un serpent. » Il se pencha alors pour ramasser le béret de M. le Curé qui s'envolait toujours au vent.

— Votre béret, monsieur le Curé...

« Quel beau crâne chauve, pensait-il, cela fait sur moi une forte impression de sagesse. Comme je suis la proie des poux, je devrais peut-être me couper les cheveux dès ce soir. Un beau crâne nu ! Comme ça, mon frère aurait beaucoup de respect pour ma science, je n'aurai jamais le ventre de Monsieur le Curé, il vaut mieux y renoncer tout de suite...

★

Soutenant M. le Curé, emporté avec lui, dans
les tourbillons de sa soutane, Jean Le Maigre
franchit la grille du noviciat. Il avait tant bu
pour se réchauffer, d'un village à l'autre, qu'il
pouvait à peine se tenir sur ses longues jambes mobiles. Il laissa passer devant lui la ligne de Petits Frères aux oreilles rougissantes,
grelottant de froid dans leurs manteaux légers.
Jean Le Maigre, lui, avait la tête brûlante et le
cœur joyeux. Il songeait déjà à sa proche évasion.

— C'est une vocation tardive, dit M. le Curé,
mais ce n'est pas une vocation désespérée. Soi-
gnez ses bronches et rasez-lui la tête. Les poux
le mangent. Il est sale en dehors, mais dès
qu'il se lavera, son âme deviendra plus
claire.

Jean Le Maigre approuvait d'un large sourire humble, un peu fourbe. « Je pourrais
peut-être attendre à demain, pour m'évader
pensa-t-il, tenté par l'odeur de bouillon qui
s'échappait des cuisines bourdonnantes de voix
d'élèves — ici, on aura du respect pour mon
intelligence. Il y a beaucoup de livres de piété.
Je deviendrai dévot sans même le savoir, je
pourrai faire la leçon à tout le monde. J'aurai des apparitions, les saints me parleront
dans mon sommeil, et les anges, ah ! les anges

d'or et de fleurs
couronneront mon front.

Ah! oui, je veux me convertir tout de suite,
et renoncer à jamais à l'oisiveté de ma
vie. » Toutefois, Jean Le Maigre s'attrista en
songeant que pendant que l'on passait à son
cou sous sa cravate noire (déjà symbolique du
deuil de son âme) une lourde médaille qui sonnait comme un glas sur sa frêle poitrine —
le directeur ne lui disait-il pas, en lui crachant
sa mauvaise haleine à la figure, qu'il fallait
renoncer, renoncer pour toujours aux biens et
tentations de ce monde... — oui, pendant ce
temps, songeait-il, Pomme et le Septième bu-
vaient à la cave, comme d'habitude, ou se ti-
raient aux cartes à la lueur de la chandelle... Mais quelle consolation de les imaginer
captifs de la prière du soir, chacun épinglé
par la manche, à la jupe de Grand-Mère Antoinette...

Ou bien encore, de les imaginer, l'un après
l'autre, déculotté dans un coin, attendant leur
fessée quotidienne. Ces pensées le rassu-
raient tandis qu'il se dirigeait vers le réfectoire, précédé par les quatre Petits Frères au
front baissé.

7 heures : Prière. 8 heures : Méditation.
8 h 30 : Prière. 9 heures : Examen de conscience... Jean Le Maigre parcourait l'horaire
du noviciat écrit sur les tableaux du corridor,
et déjà il se surprenait à répondre à l'*ave* cris-
tallin que récitait l'une de ces petites voix
affligées à ses côtés...

★

Ce soir-là et les autres soirs, Jean Le Maigre
mangea de la mélasse, et encore de la mélasse.
On en mangeait sur le pain, sur l'omelette
solitaire du midi — on en mangeait partout.
Jean Le Maigre mangeait férocement, comme
tout le monde autour de lui, écoutant d'une
oreille frémissante la vie de saint (d'ailleurs
remplie de supplices que Jean Le Maigre en-
courageait, le nez dans son bol de lait pour ne
pas en perdre une seule goutte) que lisait le
prêtre, du haut de l'estrade. Jean Le Maigre
avait l'intention d'écrire lui-même une vie de
saint devenu pécheur, pour édifier ses camarades. *Ils le lapidèrent, ils le torturèrent jusqu'à l'aube...* Le sang coulait à flots sur la
table, et Jean Le Maigre l'épanchait avec son
mouchoir. Puis il continuait à manger, sa main
glissant d'une assiette à l'autre, pour voler la
nourriture de ses voisins. *Une plainte soudain
dans le silence du soir.* Toutes les portes, toutes les fenêtres semblaient battre dans le
vent. Les doigts pris dans la mélasse, Jean Le
Maigre sentait couler la brise d'hiver par les
trous de ses bottines. Les novices avaient suspendu leur haleine, leur couteau pointé en
l'air, le visage farouche, ils attendaient que
meure la sainte victime qu'ils n'osaient pas
tuer eux-mêmes. *Le silence, enfin le silence.*
Jean Le Maigre ferma les yeux. Il expira doucement à son tour. Une clameur de soulage-

ment remplit la salle. Et Jean Le Maigre eut
soudain les oreilles bourdonnantes des cris de
son propre estomac.

— Silence!   cria le prêtre, et il referma
son livre.

Jean Le Maigre eut un sourire de satisfaction que partagèrent ses camarades en posant
docilement leur couteau sur la table.

« Je me sens bon, tout à coup, pensait Jean
Le Maigre. Je pourrais m'envoler au ciel,
si je n'avais pas le ventre si lourd. Je suis
bon, je n'ai plus de mauvaises pensées.
Mais il me faudrait une bonne apparition
pour étonner tout le monde... »

C'est ainsi que le Diable commença à apparaître à Jean Le Maigre, avec prudence d'a-
bord, puis de plus en plus fréquemment. Il
entrait par la fenêtre du dortoir, émergeant de
la lumière de la lune, avec sa robe noire, son
chapeau de fourrure sur le front, ses souliers
boueux à la main. Jean Le Maigre se hâtait
de faire son examen de conscience avant que
le Diable ne se glisse dans son lit. Il était mi-
nuit, le surveillant ronflait déjà dans sa cellule, mais s'échappait encore de sa porte un
filet de lumière rouge où se baignaient, comme
dans un étang, des pieds somnambules qui er-
raient d'un lit à l'autre. Ensevelis dans leur
raide chemise de nuit, exhalant un chœur de
plaintes, les uns dormaient d'un sommeil béni,
les mains jointes sur les draps, le profil droit
comme des noyés flottant sur l'eau. D'autres

éveillaient les tentations en bougeant dans
leurs lits, car, comme disait le surveillant, *lorsque les lits craquent, je sais ce qui se passe*, et il
avait raison. Jean Le Maigre lui-même, suant
de fièvre dans sa chemise de coton, avait en
peu de nuits parcouru tous les lits du dortoir. Il se consolait que Pomme et le Septième,
eux, au moins, dormaient du sommeil de l'innocence auprès de leur grand-mère.

★

Vu à la lumière du jour, le Diable n'était
que le Frère Théodule que l'on reléguait à
l'infirmerie quand il ne donnait pas de cours
de sciences naturelles à ses classes endormies.

— Vous maigrissez, .disait le Frère Théodule avec allégresse, lorsque Jean Le Maigre
montait sur la balance, vous maigrissez de
plus en plus.

Pieds nus dans le courant d'air, Jean Le
Maigre buvait du lait chaud en songeant qu'il
était temps pour lui d'écrire son testament
au Septième et de choisir le lieu où sa grand-
mère l'enterrerait.

— Du lait chaud, le matin, disait le Frère
Théodule, en posant sa main moite sur
l'épaule de Jean Le Maigre, du lait chaud le
soir. Et ne vous mouillez pas les pieds.

Jean Le Maigre toussait, crachait du sang,
toujours encouragé par le Frère Théodule qui
essuyait les coins de sa bouche avec un mou-

choir, ou le regardait s'évanouir avec une admiration passionnée. Jean Le Maigre était
beau, évanoui. Il ressemblait à ces jeunes âmes
que le Frère Théodule avait précipitées dans la
vie éternelle, à un âge précoce : Narcisse,
mort à treize ans et six mois. Le Frère Paul,
décédé le jour de son douzième anniversaire...
Le Frère Théodule était jeune et aimait la
jeunesse. Encore épris de la fleur de l'adolescence, il la cueillait au passage, quand il
avait le temps.

Jean le Maigre appréciait que le noviciat fût
ce jardin étrange où poussaient, là comme ailleurs, entremêlant leurs tiges, les plantes gra-
cieuses du vice et de la vertu. Maintenant cloué
à son lit par l'ordre du docteur et la complice
sollicitude du Frère Théodule, Jean Le Maigre
écrivait tristement son autobiographie...

★

Dès ma naissance, j'ai eu le front couronné
de poux! Un poète, s'écria mon père, dans
un élan de joie. Grand-Mère, un poète! Ils s'ap-
prochèrent de mon berceau et me contemplè-
rent en silence. Mon regard brillait déjà d'un
feu sombre et tourmenté. Mes yeux jetaient
partout dans la chambre des flammes de génie. « Qu'il est beau, dit ma mère, qu'il est
gras, et qu'il sent bon! Quelle jolie bouche!
Quel beau front! » Je bâillais de vanité,
comme j'en avais le droit. Un front couvert de

poux et baignant dans les ordures! Triste terre! Rentrées des champs par la porte de la cuisine, les Muses aux grosses joues me voilaient le ciel de leur dos noirci par le soleil. Aïe, comme je pleurais, en touchant ma tête chauve...

Je ne peux pas penser à ma vie sans que l'encre coule abondamment de ma plume impatiente.

Tuberculos Tuberculorum, quel destin misérable pour un garçon doué comme toi, oh! le maigre Jean, toi que les rats ont grignoté par les pieds...

> *Pivoine est mort*
> *Pivoine est mort*
> *A table tout le monde*

Mais heureusement, Pivoine était mort la veille et me cédait la place, très gentiment. Mon pauvre frère avait été emporté par l'épi... l'api... l'apocalypse... l'épilepsie quoi, quelques heures avant ma naissance, ce qui permit à tout le monde d'avoir un bon repas avec M. le Curé après les funérailles.

Pivoine retourna à la terre sans se plaindre et moi j'en sortis en criant. Mais non seulement je criais, mais ma mère criait elle aussi de douleur, et pour recouvrir nos cris, mon père égorgeait joyeusement un cochon dans l'étable! Quelle journée! Le sang coulait en abondance, et dans sa petite boîte noire sous la

terre, Pivoine (Joseph-Aimé) dormait paisiblement et ne se souvenait plus de nous.

— Un ange de plus dans le ciel, dit M. le
Curé. Dieu vous aime pour vous punir comme
ça!

Ma mère hocha la tête :

— Mais, monsieur le Curé, c'est le deuxième
en une année.

— Ah! Comme Dieu vous récompense, dit
M. le Curé.

M. le Curé m'a admiré dès ce jour-là. La
récompense c'était moi. Combien on m'avait
attendu! Combien on m'avait désiré! Comme
on avait besoin de moi! J'arrivais juste à
temps pour plaire à mes parents. « Une bénédiction du ciel », dit M. le Curé.

> *Il est vert, il est vert*
> *Maman, Dieu va nous le prendre*
> *Lui aussi.*

— Héloïse, dit M. le Curé, mangez en paix,
mon enfant. La petite Héloïse avait beaucoup
pleuré sur la tombe de Pivoine et ses yeux
étaient rouges, encore.

— Elle est trop sensible, dit M. le Curé, en
lui caressant la tête. Il faut qu'elle aille au
couvent.

— Mais comme il est vert, dit Héloïse, se
tortillant sur sa chaise pour mieux me regarder. Vert comme un céleri, dit Héloïse.

M. le Curé avait vu le signe du miracle à mon front.

— Qui sait, une future vocation ? Les oreilles sont longues, il sera intelligent. Très intelligent.

— L'essentiel, c'est de pouvoir traire les vaches et couper le bois, dit mon père, sèchement.

Joseph-Aimé est mort
Joseph-Aimé est mort,

dit ma mère. Et elle se moucha à grand bruit.

— Consolez-vous en pensant au futur, dit M. le Curé. Ne regardez pas en arrière. Cet enfant-là va rougir avant de faire son premier péché mortel, je vous le dis. Et pour les péchés, je m'y connais, celui-ci, Dieu lui pardonne, il en commettra beaucoup.

Non seulement je faillis mourir de ma verdeur, mais le Septième en hérita en naissant. Préparez sa tombe, dit ma grand-mère qui sentait déjà courir la méningite sous ce front disgracieux, tour à tour jaune, gris et vert, dont le sommet était parsemé de poils rouges, agressifs comme des épines.

— Si ce n'est pas la méningite, c'est la scarlatine, mais celui-là n'en sortira pas vivant.

— Dieu bénit les nombreuses familles, dit M. le Curé qui se hâtait de baptiser le Septième avant que la maladie ne l'emporte comme le malheureux Joseph-Aimé, mort sans

baptême, il y a des épreuves qui sont des béné-
dictions. Fortuné, Mathias, que sorte de toi
l'esprit impur...

Et il sortit à l'instant même. Car à la grande
déception de ma grand-mère qui avait pré-
paré les funérailles, choisi la robe de deuil
pour l'enfant, le Septième ressuscita. Ranimé
par l'eau du baptême, ses cheveux rouges droits
sur la tête, le Septième lança des cris perçants
qui firent accourir mon père de la grange.

— Mon Dieu, dit mon père en apercevant ce
monstre aux cheveux hérissés, cet idiot m'a
fait perdre ma vache...

Ma mère essuya ses larmes. Ce sera pour
une autre fois, dit ma grand-mère, des morts,
il y en aura toujours. Ah! comme je gran-
dissais pieusement sous la jupe de ma grand-
mère en ce temps-là... J'étais vertueux et fer-
mais toujours les yeux pendant la prière pour
imiter Héloïse dont ma grand-mère louait
l'ardente piété à M. le Curé, le dimanche. Je
jouais à la messe en été, aux sépultures en
hiver, et Héloïse m'enterrait jusqu'au cou
dans la neige. C'est ainsi que j'ai commencé à
tousser et à dépérir. Les rhumes, les pneumo-
nies tombaient sur moi comme des malédictions. Je me mouchais partout, dans les jupons
de ma grand-mère comme sur le tablier d'Héloïse. J'éternuais comme un canard. Mais tout
le monde toussait dans la maison : on entendait siffler la toux comme une brise sèche
par les fentes des lits et des portes.

« Cela passe avec l'hiver », disait mon père,
et il avait raison. Car au printemps, chacun
de nous bourgeonnait, fleurissait sous la ver-
mine et la rougeole. C'était à l'époque où le
Septième faisait ses premiers pas sur la gale-
rie, le ventre nu sous son gilet à carreaux,
souriant et bavant à tout le monde, la tête en-
flée par l'orgueil. Ah ! si j'avais su quelles
fessées m'attendaient à cause de lui !

Pourtant ma grand-mère m'avait prévenu :

— Méfie-toi de ce monstre aux cheveux rouges, disait-elle, dès le premier jour, il a trompé
tout le monde avec sa méningite; mort, il devait être mort, et regarde-moi ça maintenant,
une chenille, il bouge comme une chenille !

— Une mauvaise influence, une mauvaise
fréquentation, disait M. le Curé en me touchant le front de sa main rude — le dimanche
matin, ce Fortuné a la peau dure, il ne pleure
pas quand on le bat!

Abandonnés par notre pauvre mère qui, lorsqu'elle n'était pas aux champs ou à l'écurie à
soigner sa jument atteinte de consomption
(dont l'odeur était un peu comparable à la
mienne aujourd'hui, je dois l'avouer) dialo-
guait avec ses morts, tous alignés les uns à
côté des autres sur le vieil harmonium rongé
par les rats (seul héritage de Grand-Père
Napoléon qui aimait jouer des hymnes la nuit
pour faire enrager ma chaste grand-mère),
morts du mois de novembre, morts des longues
soirées d'hiver — ma mère les appelait un à

un des ténèbres où ils ronflaient avec bien-être,
dans sa mauve chemise de nuit, quelques cheveux épars sur son front toujours humide,
cette triste femme contemplait avec douceur
les enfants, les bébés au sourire édenté, des
vieilles photographies mille fois regardées...

« Ah! suppliait-elle, d'une faible voix, Hector, pourquoi m'as-tu abandonné, Hector ? Est-
ce que tu m'entends ? Gemma! Gemma! tu
avais à peine un jour, lorsque tu es partie.
M'entend-tu, Gemma ? »

Mais à mesure que les heures passaient, ma
mère confondait les noms, les événements, et
les morts valsaient confusément devant ses
yeux. (Elle pensait à Gemma, mais sans le
savoir, elle voyait Olive à la place, le petit
crâne sanglant d'Olive écrasée sous la charrue
de mon père. Et Gemma ? Ah! Le jour de sa
première communion, oui, disparue, comme
ça, dans sa robe de dentelle!)

Gemma, Barthélemy, Léopold, elle avait encore les chaussons de laine de ce lointain Barthélemy qu'elle n'était pas sûre d'avoir mis
au monde, mais qu'importe! Et Léopold, une
année, il ne restait qu'une année, et il sortait
du séminaire. Léopold qui avait tant de talent! Ah!

Mais Dieu avait pris Léopold d'une curieuse
façon. Par les cheveux, comme on tire une ca-
rotte de la terre.

En revenant d'une joviale tuerie de lapins et
de renards, les frères aînés trouvèrent pendu,

à la branche d'un arbre solitaire — qui
donc ? le squelettique Léopold dans sa robe
de séminariste, balancé par le vent, mort, bien
mort, prêt à écorcher comme les proies qu'ils
tenaient à la main, d'un geste triomphal.
« Mon Dieu, soupirèrent-ils en chœur, *en voilà
une idée le vendredi saint!* J'ai toujours pensé
qu'il avait les idées noires, celui-là! » Mais
enivrés par la chasse, la bière et le vent qui
leur fouettait les tempes, les aînés décrochèrent Léopold de son arbre (je dois ajou-
ter ici que Léopold était si brillant qu'à l'âge
de dix ans, il récitait par cœur des passages de
la Bible qu'il ne comprenait pas du tout, et
écrivait des épitaphes en latin... J'ai hérité
moi-même de l'esprit aventureux de mon frère,
et comme lui, je laisserai derrière moi des re-
liques qui pourriront dans la poussière, *la
poussière des temps,* si l'on veut — car à part
notre cher curé, et le Frère Théodule qui me
fait subir en ce moment le martyre du thermo-
mètre... qui donc pourrait lire ma prose en
latin ?) Ainsi, ils le décrochèrent de l'arbre, et
le jetant comme un sac de pommes de terre
sur leur dos les aînés rentrèrent allégrement
chez nous, nous montrant leur gibier, dont
le cher Léopold au cou pris dans la corde de
sa ceinture.

« Malédiction! Oh, malédiction! », dit mon
père, et il cracha par terre. Seule ma mère
versa ces larmes funèbres si bienfaisantes
pour Léopold.

Donc — abandonnés par notre mère, orphelins errants au visage barbouillé de soupe, et au derrière cuit par les coups — (c'était au temps où Héloïse faisait la soupe, et s'écriait à toute minute, debout sur sa chaise : « Maman, le chat est dans la soupe! ») Fortuné et moi avions commencé notre descente en enfer. Tragiquement marqués par l'exemple de notre frère Léopold, nous avons tenté des suicides que nous n'avons jamais réussis jusqu'au bout, car Héloïse nous trahissait toujours par un cri de joie avant que l'un de nous ait franchi le seuil de l'éternité. « Maman, maman, le couteau à pain, maman! ah! le sang coule, maman. » Il y eut la tentation de l'eau (comme il faisait bon se jeter dans le puits l'été, et être repêché par la bretelle de ma culotte, par la main toujours alerte de ma grand-mère!) et ensuite, le feu. Nous avons mis le feu partout, misérables oisifs que nous étions. Ma grand-mère venait à peine de tailler des rideaux dans ses draps, que nous les regardions flamber. Ils flambaient délicieusement d'ailleurs, et pour la première fois, j'eus l'impression d'avoir réussi quelque chose. Mon père dut nous mettre à l'école, ne pouvant garder avec lui sur ses champs déjà si stériles — deux incendiaires... *Après l'école, écoutez-moi toutes, femmes, après l'école c'est la maison de correction!*

Ma mère se plaignait que la vie était dure, et les hommes cruels.

— Je ne veux plus entendre un mot, dit
mon père. *Je fume!*

Il fumait, et son tabac répandait l'odeur de
tous les cadavres de la famille... Mais le Septième et moi avions beaucoup de respect pour
l'*heure de fumerie* de mon père. Assis à
chaque bout de la table, les mains sur les genoux, notre livre de lecture éparpillé par terre
(quelle maladie apprendre à lire, à la fin, c'est
ma grand-mère qui l'apprit la première) mais
gardant le souvenir sonore de ces *ba*, de ces
bou ba bin bon beu que nous avions effleurés
du regard sur le tableau de l'école (ah! la
chère école, toujours menacée de s'écrouler
sous le vent et la neige, et la menue flamme
du poêle qui nous réchauffait, mais avec prudence...). Nous regardions jaillir de la fumée
ces lettres géantes, les *o*, les *l* et les *c* (et quelques notes de musique) que mon père for-
mait de sa bouche ignorante, lui qui ne pouvait pas lire son nom, même écrit en majus-
cules. Notre père écrivait ainsi des romans, de
contes qu'il ne lirait jamais, car de sa pipe sortait l'illustration brumeuse de mes œuvres
futures. C'est ainsi que je devins un poète. J'en
pris la solennelle décision le soir même, assis
avec Fortuné sur le même banc de latrines, qui,
à l'échange et à l'usure, dorlotait nos fesses
d'une agréable chaleur. Non seulement mon
père fumait, mais les aînés, assis autour de
mon père, les jambes allongées dans leur salopette bleue, remuant les doigts de pied

de leurs chaussettes de laine (qu'ils n'enle-
vaient que tous les six mois, et encore n'était-
ce que pour la santé de ma grand-mère), eux
aussi laissaient mourir dans leurs barbes
noires, de frêles soupirs de volupté — mais
rien d'autre, sinon des *eh* et des *oh* et parfois un léger bâillement qui ressemblait à une
mouche. Mais comme je leur ai toujours re-
proché dans ma sagesse précoce : ils n'avaient
pas assez d'imagination pour dire autre chose.

Donc, le Septième et moi étions supérieurs à
tout le monde, je n'ai pas besoin de le dire.
Il est vrai que notre institutrice, à l'école,
Mlle Lorgnette, avait de sérieuses raisons de
se plaindre de notre conduite à M. le Curé.

— Monsieur le Curé, ce sont de petits... de
petits...

— ... vicieux, disait M. le Curé. Je les
connais depuis le berceau. Je me méfie surtout
de celui-là, à la tête rouge. Mais l'autre, il
ne commet que des péchés véniels. Il est bon,
sensible intelligent...

Mlle Lorgnette était rassurée.

Ah! ses jambes bleuies par le froid, les jambes de Mlle Lorgnette, ah! ses longs cils :

> *Ils furent les premières ombres*
> *de ma passion...*

J'étais si amoureux que je ne dormais plus.
Avec adoration, Mlle Lorgnette accrochait à
ma boutonnière de gilet les médailles d'hon-

neur, le ruban de la Congrégation des premiers de classe, malheureusement j'étais toujours le seul dans la Congrégation puisque le Septième ne venait à l'école que pour prendre un peu de sommeil, et Pomme, pour manger la réglisse que lui donnait Mlle Lorgnette avec une place chaude près du poêle.

— Le poêle est aux premiers de classe, disait Mademoiselle, et le sommeil, aux derniers.

Mais grâce à un échange de bâtons de réglisse et de choix de places pour la nuit — *sur le lit, sous le lit ou à travers le lit*, Pomme était toujours assis près du poêle, son ventre rond respirant au degré de la flamme. (Le Septième et moi gardions les meilleures places pour la nuit.)

Mademoiselle, elle-même, manquait l'école très souvent. Comme le Septième, elle s'égarait dans les remous de neige, perdait sa toque au vent, et suçait la glace qui collait au pouce de ses mitaines. Parfois, je faisais l'école — ou M. le Curé, lorsque fuyant les vieilles filles du confessionnal, il nous arrivait d'un air imposant, ses cartes de géographie sous le bras.

Alors, j'accourais vers lui avec zèle, je l'aidais à enlever son manteau, j'époussetais la neige sur sa tête chauve. Quel plaisir pour moi de regarder et regarder encore ce crâne nu comme une pierre blanche!

— Jean Le Maigre, disait M. le Curé, je me demande parfois ce que je deviendrais sans

vous. A propos, mon fils, Bernardine vient de
trépasser cette nuit. Ah! oui, je n'ai plus de
servante. Que Dieu ait son âme! La somnam-
bule a pris froid dans la neige, et oup... et
elle avait la tête fragile, je l'ai toujours pensé.
Elle mêlait toujours le poivre avec le sucre
— et ce qui est pire, le sucre avec la mou-
tarde. Elle buvait le vin de mes messes, en
secret. Ah! oui, comme ça... Je dormais donc,
les jambes au chaud, l'âme satisfaite par le
bon repas qu'elle venait de me préparer... me
disant toutefois à travers mon sommeil : *Monsieur le Curé, tu as encore trop bu* de bière...
encore une fois! Et pendant ce temps, ma Bernardine, ah! Dieu ait son âme! Ce fut une
triste fin.

» Elle était la vertu en personne, hein — pu-
dique au point de baisser les yeux quand un
homme enlevait ses souliers. Que voulez-vous,
il faut que je me trouve une autre servante,
gâteux comme je suis! Mais en attendant, allons traverser les mers, mon enfant...

M. le Curé ouvrait la porte sur une classe
vide. Dans un coin, un chat accroupi levait un
œil puis le refermait aussitôt. Pomme léchait
son bâton de réglisse.

— Je reviendrai demain, disait M. le Curé,
quelle honte! Mais — ajoutait-il aussitôt, pro-
fitons donc de l'absence des ignorants pour
faire un peu de géographie.

Je me réchauffais en m'instruisant sur le
Maroc. M. le Curé et moi avions une préférence

pour les climats chauds et les chiffres pairs.
La leçon de géographie terminée, M. le Curé
m'apprenait le grec (je me rappelais alors
l'étonnante mémoire de mon frère Léopold et
j'essayais de le faire trembler de stupeur
dans sa tombe). « Vous êtes trop ambitieux,
disait M. le Curé. Vous aimez trop la compé-
tition. Méfiez-vous de votre orgueil, mon enfant. Il pourrait vous conduire en enfer. »
M. le Curé m'apprenait aussi l'orthographe,
et un peu d'astronomie, car, disait-il, *il faut
mettre des lunes d'argent, des étoiles et un
ciel orageux* dans tous vos poèmes. Ah! mais
j'oubliais, l'est, l'ouest, le sud... Il convient de
savoir un peu où ils sont. Je ne l'ai jamais su,
dit M. le Curé, et j'ai des cheveux blancs.
(Des cheveux blancs ? Oui, un seul, je le
vis soudain poindre sous son oreille.) Ce n'est
pas ma faute, disait M. le Curé, c'est ma voiture, oui, ma voiture en furie. Vous la connaissez, elle a le pas frénétique, je ne sais
jamais où elle m'amène. C'est ainsi, Dieu me
le pardonne, que mes moribonds manquent
l'extrême-onction de temps à autre. Mais Horace, lui, m'attend toujours, le brave homme,
le noble vieillard!

Eh bien, voilà M. le Curé qui me visite,
dit-il, lorsqu'il me voit enfin arriver, tout
essoufflé, mon livre de prières à la main. *C'est
une surprise, hein, je ferais mieux de me
lever...* Il est sourd, mais il comprend son
curé.

— Horace, lui dis-je, calme-toi, car je crains que cette fois....

— Non. Non, me dit-il, ce n'est pas encore pour aujourd'hui, monsieur le Curé, je parie un veau que ce n'est pas pour aujourd'hui...

— On ne fait pas de commerce avant de mourir, Horace. Je te l'ai dit cent fois. Mais j'accepterais bien l'un de tes moutons, parmi les plus jeunes...

Comment nourrirais-je mes pauvres sans lui ?

— La prochaine fois ce sera ton manteau de poils de chats sauvages, hein, Horace ?

Comment pourrais-je vêtir mes pauvres sans lui ?

Horace bravait la tempête, recevait l'extrême-onction et décidait de ne pas expirer : ainsi M. le Curé réchauffait ses pauvres. Car un matin de février, Grand-Mère Antoinette revint de la messe de cinq heures, enveloppée dans le manteau d'Horace, nous foudroyant tous de son regard d'orgueil, si bien que je ne savais plus qui était la bête féroce — le manteau de chat sauvage, ou ma grand-mère dans toute sa splendeur.

Jaloux, mon père décida d'aller à la messe de cinq heures chaque matin et déclara à ma grand-mère qu'elle pouvait loger toute *une caravane d'animaux sous ce manteau de malheur!*

— Enfin, une parole sensée, dit ma grand-mère qui abritait déjà Anita, et l'une d'autres des petites A, sous ses montagnes de fourrure.

La messe de cinq heures fit beaucoup de mal à mon père, et encore une fois, nous fûmes tous victimes, les uns après les autres, des courants d'air de sa mauvaise humeur. Malgré tous ses efforts, M. le Curé ne put jamais me renseigner sur les grandes vérités de la vie. Je ne sus jamais où était l'est, et encore moins le nord, il me semblait que l'ouest se promenait autour de la maison, la tête basse, comme une personne qui s'ennuie.

— Mais rien ne presse, dit M. le Curé, on trouve toujours son chemin...

Comblé d'images de la Vierge par Mlle Lorgnette, récompensé pour mes notes brillantes, je me souciais moins de la *conduite morale*. Celle-ci baissait, comme la température, parfois en dessous de zéro. Petite brute, petite peste, polisson malfaisant, disait Mlle Lorgnette à mon oreille. Je gardais amoureusement en moi tous ces mots d'amour. Il y en avait aussi beaucoup d'autres qu'il est inutile d'écrire ici, car la liste en serait trop longue, et de plus en plus osée. Et je crains que le Frère Théodule (occupé à faire des remèdes, des poisons, de la colle, dans son laboratoire) ne vienne lire par-dessus mon épaule, comme il en a la tentation dès qu'il me voit, la plume à la main, répandant autour de moi un arc-en-ciel d'encre, sur le mur, sur les draps... (Allez ! Allez ! Mon enfant, dit le Frère Théodule, c'est l'exubérance finale !) Dans une apothi... tho... dans une apothéose triste et solitaire!

Le Frère Théodule n'aimerait pas savoir que Mlle Lorgnette a tant influencé ma vie. D'ailleurs, elle n'avait que quelques années de plus que moi et j'allais bientôt la dépasser de ma tête remplie de grec. Fier comme un coq je laissais traîner partout dans la maison mes versions grecques, mes éloges funèbres, mes fables et mes tragédies quand je découvris que mon père les faisait disparaître à mesure dans les latrines. Quelle déception!

Voilà où me réduisaient la cruauté de mon père et le besoin d'économie de ma grand-mère qui ne permettait pas que les choses se perdent, que ce fût du grec ou de la ficelle.

Si Mademoiselle s'exclamait parfois sur mes connaissances, elle s'attristait de plus en plus sur les siennes.

— J'aurais besoin de votre aide, me dit-elle un jour, pendant un entretien privé... Je voudrais savoir comment on épelle les mots suivants : *Elefant, boureau, arosoire et incangru.*

Je ne connaissais pas *incangru* ni *arosoire* et j'usai mes yeux à parcourir l'unique dictionnaire de l'école qui s'arrêtait à la page 122 à la lettre H. Mlle Lorgnette dut me prêter ses lunettes, car ma vue baissait de plus en plus avec la fin du jour.

— M. l'Inspecteur m'a promis une lampe, une lampe à l'huile, oui, nous l'aurons pour Noël prochain.

Mais en attendant je me promenais dans les vallées obscures de la science, je buvais des mots tels que *crocodiles, conchylogie, concentriquement*.

— Assez, dit Mademoiselle lorsque j'eus prononcé le mot *conception* en m'écriant — enfin je le connais celui-là. Assez, dit Mlle Lorgnette, vous pouvez vous retirer maintenant, je n'ai plus besoin de vous. Je suis *éclairée, très éclairée*, bonsoir.

Elle me poussait lentement vers la porte, me tapait les doigts du bout de sa baguette.

— Cela m'apprendra à vous garder après l'école! Ah! le polisson... Bien sûr, Mlle Lorgnette m'accusait encore injustement de vouloir l'embrasser. Il faisait si noir maintenant, comment aurais-je vu sa bouche?

Trop jeune pour comprendre ma passion, le Septième vagabondait par les collines, et mendiait par les villages. Il fumait beaucoup et m'empoisonnait de son haleine la nuit.

Fortuné passait du commerce à la mendicité. Il vendait ses lacets de bottines au coin des rues, et ma grand-mère n'avait plus un seul bouton à son manteau. Le Septième, s'il ne les avait pas mangés, comme je le soupçonnais de le faire, les avait cédés à l'un des ivrognes du quartier, en échange d'une bouteille de cidre. *Celui-là nous conduira au déshonneur!* dit ma grand-mère, lorsqu'elle découvrit que le Septième, vidant le grenier, se

disposait à vendre les béquilles de Grand-Père
Napoléon et la robe de séminariste de Léopold.
Il finira très mal, disait mon père, la tête ca-
chée dans sa barbe. Le Septième fumait de
tout, ne connaissant pas la différence entre la
pipe de ses frères, le tabac des ivrognes, enveloppé d'une page de son cahier d'arithmétique. Nous n'avions qu'un cahier d'arithmétique dans toute la classe, et c'est ainsi que
je n'ai jamais pu apprendre la réponse à mon
problème :

$$100 + 148 - 142 + 10\,000\,000 - 3 \times 20 \times 10$$

Ah! le Septième n'avait aucune dignité.
Cela devait me perdre. Les jours de congé,
lorsqu'il ne faisait pas encore quelque commerce de poules et de ratons laveurs, le
Septième venait à l'école. Il surprenait beaucoup Mademoiselle par son attention pour les
chiffres et pour toutes les choses qui concer-
naient le gain. Les nombres coulaient dans
sa tête avant qu'il ne les ait appris. C'était
l'habitude d'avoir tant volé d'argent des autres, peut-être. Ou l'avarice qui le rongeait
déjà. A fréquenter ainsi tous les crotteux du
village, mon frère racontait de plus en plus
d'histoires douteuses. Il blasphémait à perdre
haleine, encouragé par le grand rire noir
(comme moi ils ont tous les dents gâtées)
des frères aînés. Fortuné, hélas! partageait le
pain moisi de ceux que M. le Curé appelait

pendant ses sermons *ses brebis galeuses, ses lépreux, ses buveurs incurables, ses corrompus au cœur tendre...* Oui, oui, venez à moi, ma maison est ouverte, mais de grâce n'entrez pas dans la maison de Dieu en état d'ivresse! Fortuné, en un mot, buvait l'âpre vin de la déchéance. Trop petit pour franchir le seuil des tavernes, il buvait au hasard de la générosité de ses amis (et quels amis, variant de Coco le Raide à Martin le Tueur) dans la même petite tasse de fer blanc où il mangeait sa soupe le soir à la maison. Quelle tristesse, mon Dieu ! Quant à moi, je ne buvais qu'une fois la semaine, le vendredi soir, avant de me présenter au procès de mon père (eh oui, le vendredi soir était le soir du châtiment, il valait mieux se préparer au verdict quelques jours d'avance), parfois aussi le mercredi, lorsque, dévoré par l'inquiétude, j'attendais Mademoiselle sur le perron de l'école. De chastes plaintes gonflaient ma poitrine, en songeant qu'à cet instant-là, peut-être, Mademoiselle éprouvait avec horreur — la cruelle patte d'un loup déchirer son sein.

Je n'ai pas peur des loups, disait Mademoiselle, lorsqu'elle me retrouvait sur son perron, à une heure tardive. Je peux me défendre toute seule. Vous pouvez vous en aller. Bonsoir. Alors je me souvenais que j'avais trop bu. Des choses étranges bougeaient dans mes entrailles, comme des bateaux tremblent devant le **naufrage**.

— Mon Dieu que vous êtes pâle, mon enfant! Est-il arrivé quelque chose ? Un malheur à votre père ?

Il se porte bien, Mademoiselle, hélas! oui, il grandit de plus en plus, il prend du poids. Oh! puis-je m'asseoir près de vous, Mademoiselle, puis je me coucher sur votre pupitre, je me sens faible, très faible.

— Personne ne montera sur mon estrade, dit Mademoiselle, en secouant son chignon — sinon M. l'Inspecteur général, lorsqu'il viendra à Noël prochain. Souvenez-vous de cela pour toujours, mon enfant. Songez à partir maintenant. La classe est finie. (Mais elle ouvrit son pupitre, oui, et mes narines frémirent de reconnaissance.) Non, non, ne montez pas sur mon estrade, restez en bas. Il faut une certaine distance entre un professeur et son élève. Apprenez cela. Je veux être fière de mes élèves quand M. l'Inspecteur général viendra. Peut-être serez-vous le seul dans toute l'école, ce jour-là, aussi, il convient d'apprendre les bonnes manières pour faire oublier à notre inspecteur tous mes absents. Un élève de qualité compte plus pour moi que quatre mauvais élèves qui dorment sur leur banc. Souvenez-vous de cela, mon ami. A bientôt, au revoir. Il faut que je corrige mes devoirs, maintenant. Je dois préparer ma leçon pour demain.

— Vous demandez trop d'attention, Jean Le Maigre. On ne peut pas s'occuper que de

vous seul. Allez, maintenant. Allez soigner
votre grippe, bonne nuit.

Ah! l'odeur de réglisse dans le pupitre de
Mlle Lorgnette. Vite elle glissa un bâton de
réglisse dans ma bouche. Allez.... maintenant...
allez... Elle me poussait encore vers la porte.
Mais soudain, quel désastre, je vomis tout
un lac de bière (Qu'avez-vous donc mangé ?
Des sardines ? Des craies ?) sur le mur, ajou-
tant ainsi, un autre fleuve aux fleuves de la
géographie.

— M. le Curé aura beaucoup de chagrin,
dit Mlle Lorgnette, lui qui avait l'intention
de nous amener à Rome demain. M. le Curé
sera bien déçu, dit Mlle Lorgnette tristement. Il ne reste plus que mon crayon, mon
pupitre, et le poêle, dit Mlle Lorgnette,
sobrement, M. l'Inspecteur me fera encore
des reproches. Notre école tombe en morceaux.

La gorge serrée par l'émotion et un intense
besoin de vomir, je fis poliment mes excuses
à Mademoiselle, en versant une longue larme
qui longtemps coula sur ma joue.

— Ce n'est rien, dit Mademoiselle, M. le
Curé est généreux, vous pouvez vous retirer
maintenant. Je vous pardonne. Mais souvenez-vous du respect que vous me devez. Bonsoir, dit Mlle Lorgnette, et ouvrant la porte,
elle me jeta dans la tempête.

Je ne revis jamais plus Mlle Lorgnette. Elle
quitta l'école avant la visite de l'inspecteur.

Et pour faire plaisir à Mlle Lorgnette, je ne monte plus sur les estrades.

★

Mlle Lorgnette fut remplacée par la veuve Casimir, une veuve florissante, généreuse comme une tour, la taille pleine comme une cruche, le sein largement épanoui sous les épingles et les aiguilles à tricot. Mme Casimir attendait un mari. L'attente avait plissé ses paupières et effacé son sourire. Et je soupçonnais cette femme d'avoir le cœur sec, car elle ne levait jamais les yeux de son tricot, et ne savait pas conjuguer le verbe *absoudre*. J'absous... tu absous... il ab... Elle s'arrêtait là, la baguette en l'air. Elle avait aussi la manie de confondre *veste, vestiaire et vestibule*, et elle me disait sur un ton raide : *Allez donc vous desvestir dans le desvestoir, monsieur!*

Ce qui m'humiliait beaucoup, car le vestibule était en plein champ. Peu à peu, je perdis mon intérêt en la géographie, et décidai de me tourner, comme mon frère, vers le commerce. Je venais à l'école le matin, et vendais des entonnoirs, des chaînes et des haches volées dans la grange du vieil Horace, l'après-midi. Le soir, fuyant notre grand-mère et le chapelet, nous descendions majestueusement à la cave pour compter nos sous. Il y en avait peu, mais nous aimions les voir briller dans les lueurs de la bougie.

En grandissant, le Septième s'intéressait un
peu plus aux femmes. Les petites filles appré-
ciaient qu'il soulève leurs jupes, en allant communier. Particulièrement, Marthe, la petite
bossue, qui partageait mon banc à l'école.
Marthe avait un égal amour pour nous deux,
et nous une égale admiration pour ses ongles
peints en rouge ou en orange, ou en rose. Et
puis, elle savait faire des tartes aux prunes, et
des confitures à la rhubarbe. Depuis le départ
de Mlle Lorgnette, Pomme venait rarement à
l'école. L'absence de réglisse, de caramels, dans
le pupitre de Mme Casimir, lui était très dure.
Son ventre commençait à s'aplatir, et nous
avions de plus en plus de place dans notre lit,
le soir. Mais l'arrivée de Marthe, à l'école, re-
donna à Pomme cette assurance dont il avait
tant besoin. Gonflé de tartines, on l'entendit
à nouveau ronfler près du poêle. Et le Septième et moi avions le temps de couvrir de
baisers les grosses joues humides de Marthe,
tandis que Mme Casimir comptait ses mailles...
Pts... Pts... touf... « Etrange, j'ai entendu
quelque chose ? » disait Mme Casimir en levant la tête de son tricot — un petit bruit...
   Les baisers de Marthe étaient sonores et
troublants — si sonores que Pomme se réveillait toujours pour nous surprendre. Assombri
soudain, je pensais que l'amour ne pouvait
pas durer.
   Mme Casimir ne sentait pas le froid. Protégée par les doubles fenêtres de son corset, et

les remparts de sa poitrine, la flèche du froid
ne la pénétrait pas. Au mois de décembre, elle
parlait d'ouvrir une fenêtre. Quelle misère
pour nos coudes nus sous l'éclaircie de nos
chemises. Les branches mouillées que nous
rapportions des bois en venant à l'école ne
produisaient qu'une flamme grêle qui s'étei-
gnait aussitôt.

— Il faut faire un feu, disait le Septième, il
faut faire un feu.

Dans son sommeil, il était si obsédé par
le froid, qu'il parlait de voler les lampions de
l'église pour réchauffer l'école. Ses cauche-
mars étaient pleins de brasiers et de flammes. La saison avançait, et le froid nous rava-
geait le cœur.

— Il faut faire un feu, disait le Septième,
dont l'œil brillait d'une façon inquiétante
sous ses cheveux rouges, il faut faire un feu.

Le soir même, il mettait le feu à l'école.
Dans mon désespoir, je l'ai aidé un peu.

— Si tu m'aimes, disait Marthe, allume
toute l'école pour me faire plaisir.

Ah! Mon Dieu, et je l'ai écoutée. Mais je
voulais sauver l'estrade, et le pupitre de
Mlle Lorgnette, ah! oui... Le pupitre de
Mlle Lorgnette périt avec l'école, et quelques
jours plus tard, recevant de notre père un
châtiment à la grandeur de notre acte, nous
partions pour la maison de correction, notre
baluchon sur le dos. Dans son innocence, le
Septième se comparait à Martin le Tueur, et

montait un à un les degrés de la révolte,
durcissant ses poings dans ses poches, et pro-
menant autour de lui un regard fauve plein
d'orgueil et de crainte. Rêvant d'une entrée
triomphante au *Foyer des enfants perdus*,
nous fûmes très déçus de l'accueil du directeur (une brute, un satyre, un vrai!) qui nous
mit dans le noir, *Cellule numéro 2, cellule
des incendiaires*, expliquant que notre peine
— trois jours sans pain et sans eau — pouvait être abrégée ou le contraire, selon notre conduite. Il referma la porte, poussa tranquillement le verrou, en nous disant de *passer au tribunal jeudi matin*. Mon Dieu, je me
sentis défaillir de rage, et le Septième perdit
sa dignité d'un seul coup en faisant pipi partout sur les murs. Car qu'y avait-il d'autre à
faire dans ce piège à rats, je me le demande!
Plongés dans la nuit éternelle — *pas de lam-
pes entre les mains des incendiaires*.

— Une petite bougie, monsieur le Directeur ? Une allumette, mon Révérend ?

— Pas même une allumette, dit-il avec mépris. *Assassins!*

Voilà comment ils nous traitaient, ces
inconnus!

Pourrissant dans l'obscurité, la tête contre
le mur (d'ailleurs envahi de mille choses
grimpantes, d'araignées dont je sentais le
chatouillement jusque dans ma bouche), je
rassurais le Septième en lui disant que nous
aurions la chance de dormir sur le sol,

comme les premiers chrétiens, et de partager
avec eux la nuit des Catacombes.

— Mais je voudrais bien m'en aller, disait
le Septième, je voudrais bien m'en aller.

Ah! mais nous en sortirons, Fortuné, nous
en sortirons. D'ailleurs, nous ne sommes pas
en prison. On ne peut pas nous mettre en
prison : tu es trop jeune, et moi, trop malade. Ne crains rien, on ne va pas nous pendre à l'aube, comme notre arrière-grand-père
Auguste! Les grandes personnes ne mettent
jamais les enfants en prison. C'est défendu.
Mais où sommes-nous ? Je voudrais bien le
savoir. Dans un orphelinat, ça sent l'orphelinat. Une très mauvaise odeur, je l'avoue. Nous
sommes peut-être dans un hôpital. Console-
toi en pensant que toutes ces choses sont pos-
sibles. J'aimerais mieux être dans un orphelinat, je ne voudrais pas que l'on me fasse
une grande opération à l'aube. A bien y penser, je crois que nous sommes dans un orphelinat. Tu peux dormir, Fortuné, il n'y a rien
à craindre ici. M. le Directeur veille sur nous,
et moi, je te protège, le canif à la main. Le
seul inconvénient, je l'admets, c'est l'obscurité. Mais on s'y habituera. Nous avons de la
chance, Fortuné, tout va bien. Il y a certai-
nement un ange qui nous protège. J'ai moi-
même une dizaine d'anges et ils sont tous
accrochés au plafond bien gentiment. Dors,
l'âme tranquille, Fortuné.

Mais le Septième ne voulait pas dormir. Il

avait peur. Moi-même, en collant mon oreille
contre le mur, je pouvais entendre des plaintes étranges et des soupirs. On torturait quelqu'un, il n'y avait pas de doute. Peut-être
le directeur me ferait-il choisir entre les
oreilles, le nez ou votre petit quelque chose
— mon oreille gauche, monsieur le Directeur,
mais coupez-la vite, je ne veux pas souffrir.
Mais le Septième ? Qu'arrivera-t-il au Septième ? (Il se blottissait maintenant contre
mon épaule et arrosait ma joue de son haleine
mouillée, en respirant.)

— Qu'allez-vous faire de lui, monsieur, il
est jeune, très jeune, je demande pardon à sa
place, oui, votre grâce.

— Nous allons le manger pour dessert, et
garder ses os pour jouer aux billes.

— Oh! monsieur le Directeur, ne faites pas
ça, ma grand-mère a le cœur fragile, elle
aura une syncope, c'est sûr.

Las de tremper mon cœur dans le supplice,
je m'endormais. Je me réveillais souvent pour
compter les heures et pour me gratter avec
véhémence. J'appelais tous les saints du ciel
à notre secours, mais personne ne venait.
Mes rêves étaient peuplés d'horloges et de ba-
lances du Bien et du Mal tels que je les
avais vus avec Mlle Lorgnette dans le grand
catéchisme illustré. Je pouvais entendre, à
travers le mien, le cœur du Septième qui battait comme une pompe. J'avais peur, j'avais
faim et j'avais soif. O saint Pierre, saint Paul,

et vous tous qui connaissez ma faiblesse. Oh!
disait le Septième, je voudrais bien m'en aller.

Mais deux jours s'écoulèrent ainsi dans les
ténèbres, deux jours, trois jours à pourrir
lentement dans ce trou. Enragé par nos la-
mentations, M. le Directeur ouvrit la porte de
notre cellule, et nous jetant à la face le réci-
pient d'eau glacée dont nous avions besoin
pour nous tenir debout et pour aller prendre
notre rang avec les autres, dans le corridor.
C'était l'aube encore, il faisait froid, et le
Septième se frottait les yeux en marchant
vers le réfectoire. Je me rappelle qu'il y avait
des grilles aux fenêtres et que je baissais la
tête pour ne pas les voir.

★

J'étais malheureux. Chaque matin, je me
réveillais un peu plus triste que la veille, le
ventre un peu affamé. Tenant mon frère par
la main, je longeais les murs dans la crainte
que l'un de ces grands tueurs à la crinière
jaune qui m'arrachait ma couverture la nuit,
et volait mon pain sec le jour, me plonge son
poignard au milieu du dos. Ce n'était pas un
orphelinat, c'était une jungle. Dans nos gue-
nilles, les cheveux gluants de graisse sur les
yeux, nous nous battions comme des animaux féroces dès que le directeur nous laissait seuls. Les disputes sanglantes éclataient
partout, au réfectoire, comme pendant l'uni-

que promenade du mercredi, autour de l'Institution. Mais si nous avions le poing dur,
le directeur, lui, était le plus habile à nous
tordre le cou. Tous le craignaient, lorsqu'il
ouvrait la bouche. Il parlait de la justice de
Dieu, et de son devoir de sauver la jeunesse
perdue.

— N'ayez pas peur, mes enfants, disait-il,
après nous avoir battu jusqu'à l'os, devant un
tribunal de Jésuites qui penchaient vertueu-
sement la tête sur nos dossiers. Ne craignez
rien, la miséricorde de Dieu existe et nous en
disposons pour vous. Nous ne somme pas ici
pour vous punir, mais pour vous *réhabiliter*.

La nuit, je l'imaginais entrant dans le dortoir, une hache à la main, flairant l'odeur de
nos corps empilés, entassés les uns sur les
autres, par la faim et l'angoisse — et tranchant une à une ces têtes pouilleuses qui se
renversaient déjà dans le vide, par les barreaux du lit. Le jour, je ne quittais pas mon
frère. De grands dangers nous guettaient partout, ou bien c'était notre voisin de table qui
parlait de nous faire sauter les yeux du bout
de sa fourchette, ou bien, le soir, une grappe
de pervertis qui nous poursuivaient dans les
corridors pour nous violer.

J'écrivais de nombreuses lettres à ma
grand-mère que M. le Directeur déchirait à
mesure en souriant. Il admirait mon style,
disait-il, mais il me reprochait de vouloir at-
tendrir les grandes personnes sur mon mal-

heur. Il avait lui-même écrit des poèmes pendant sa jeunesse, il me comprenait, il me suppliait de lui faire confiance. Il avait compassion de ma faiblesse.

Mais me souvenant des coups de poing reçus sur les mâchoires, je n'avais pas confiance en M. le Directeur. J'avais de moins en moins confiance. Pendant la promenade du mercredi, je tentais à chaque fois de m'évader avec le Septième, pendant que les grands aux cheveux jaunes se vautraient dans les ordures pour tirer quelque reste de nourriture de la poubelle du directeur. Mais à chaque fois nous avons été ramenés à l'Institution et sévèrement punis pour notre audace. Ce n'est que quelques jours avant Pâques que M. le Curé, envoyé par notre grand-mère, avec un panier d'oranges et des vêtements, venu pour la visite du dimanche mais scandalisé par notre pâleur et nos manières sauvages, décida de nous ramener avec lui, malgré l'ordre de M. le Directeur. Les grands aux cheveux jaunes ont mangé les oranges, et nous, les écorces. Le soir même, nous partagions le lit de ma grand-mère et elle nous réveillait plusieurs fois la nuit pour nous remplir l'estomac de friandises.

★

Quelques mois plus tard, nous étions accusés de vol, et nous partions pour *Notre-Dame*

de la Miséricorde, où poussait, là aussi, la
délinquance en fleur. Mais dirigée par les
religieuses, cette institution ne nous semblait
pas assez sévère. Inspirés par le directeur,
le Septième et moi, voulions devenir des bour-
reaux d'enfants. Nous avions beaucoup d'idées
pour les punitions, et un grand besoin d'exer-
cer notre vengeance sur de plus faibles que
nous. Les religieuses nous remirent entre les
mains de M. le Curé par prudence. Heureusement, car nous avions l'intention de faire de
grands massacres autour de nous.

Au printemps, M. le Curé baptisait la nouvelle école *école du repentir,* et en été nous
allions dérober avant les vêpres les trois cier-
ges blancs qui illuminaient la petite église
sombre. Mais en été, les bois nous mettaient
à l'abri de la furie de notre père, et nous
avions moins peur de la maison de correction.
Le Septième passait ses journées dans les arbres. Il mangeait des cerises et crachait les
noyaux sur ma tête. Allongé sur l'herbe, je
me laissais réchauffer par le soleil. Le Septième ne descendait de son arbre que pour
aller se baigner dans la source et courir à la
maison manger son bol de soupe. Il lisait
parfois des livres défendus par-dessus mon
épaule et s'endormait de chaleur à mes côtés.
L'air était brûlant, le soleil était chaud sur
ma poitrine, mais j'avais encore froid, comme
à l'orphelinat. Je me sentais trop las pour
bouger de mon lit de fraîcheur, et c'est à

travers le brouillard de ma fièvre que je
voyais le Septième se balancer d'une branche
à l'autre, en riant. J'étais malade. Je craignais
de mourir. Mais aussi, je savais que cela
n'était pas possible, puisque la mort n'est
que pour les bébés et les vieillards. Ce qui
me rassurait, c'était de penser que j'étais immortel, comme l'avaient dit tant de fois M. le
Curé et Grand-Mère Antoinette. On ne meurt
pas de la grippe. J'avais la certitude de guérir bientôt. Ah! le ciel s'éclairait à nouveau,
je ne toussais plus, je respirais calmement.
Immortel, souvenez-vous de cela, avait dit
M. le Curé, et je découvrais qu'il avait raison.
Le Septième sautait de son arbre. « Allons
nous baigner! » Je me déshabillais à mon
tour, la vie continuait, comme au temps de
la maison de correction, nous allions encore
courir les filles du village, voler les pommes
dans le verger d'Horace, et je recevais encore
ma fessée le vendredi soir comme d'habitude. Mais ma grand-mère mit fin à ma liberté et à notre vagabondage en me gardant
de plus en plus souvent auprès d'elle épinglé
à sa jupe, si possible. Dans les plis amers
de ma retraite, j'écrivais de fiévreux poèmes
que ma grand-mère brûlait à mesure lorsque
son tremblant regard tombait sur les mots
passion et *amour* et *luxure*. Elle coupait toujours le cou au mot *luxure,* mais le mot *honneur* lui arrachait des soupirs de satisfaction.

— Il n'y a qu'un remède, disait M. le Curé,

les mains jointes sur son large ventre, agacé
par le son de ma toux et les rires étouffés du Septième au coin de la porte. Il n'y
a toujours qu'un remède... Le noviciat!

— Il partira à l'aube, dit ma grand-mère.
Ma décision est prise. N'en parlons plus.

Mais dans sa clémence, elle attendit jusqu'à
l'hiver.

★

Voilà, ce sera bientôt la fin de mon histoire. Le noviciat est mon tombeau. Il ne me
reste plus qu'à rendre l'âme, mais je n'ai
pas du tout envie de mourir. Le bon Frère
Théodule m'y aide pourtant, mon confesseur
me donne des conseils, je récite avec lui les
dernières prières, mais malgré moi je pense
à autre chose, je pense à m'évader. Soyez
tranquille, mon enfant, reposez-vous, fermez
les yeux, dit le Frère Théodule, et je sens
mon pouls qui vacille sous la pression de sa
main humide. Non, mon Dieu, ne me laissez
pas fermer les yeux, je ne veux pas, je ne
veux pas!

— Un peu de thé ? Un peu de bouillon ?
dit le Frère Théodule.

— Non. Rien.

J'ai perdu l'appétit. Le plus triste, c'est que
moi qui étais si gourmand, j'ai soudain perdu
l'appétit. Dans mes rêves, il n'y a plus que
des fruits pourris dans les branches, et je

ne vois plus de fleurs. C'est l'hiver partout.
Il fait froid. Mais vraiment, le plus triste,
c'est d'avoir perdu l'appétit.

★

Le Frère Théodule s'était endormi, et la
lumière de la lune éclairait la tache de ses
souliers crasseux sur le lit. Jean Le Maigre
se leva. Quelqu'un l'appelait à la porte. Sa
grand-mère, peut-être, qui lui apportait des
vêtements propres, ou bien le Septième, tenant entre ses bras un lourd panier débor-
dant de grappes de raisins et de cerises. Le
raisin était trop mûr, peut-être, les cerises, à
peine trop noires. Jean Le Maigre commença
à se vêtir, découvrant avec tristesse que le
trou de sa culotte n'avait pas encore été ra-
piécé, ni ses bas raccommodés. Pomme lui
offrirait peut-être des bonbons. Alexis, une
nouvelle couverture de laine. Cela pouvait être
sa mère aussi, avec son dernier bébé dans les
bras. Emmanuel, enveloppé dans des linges
noirs.

Les voix timides l'appelaient toujours.

— Jean, viens jouer avec moi. Je m'ennuie,
Jean, viens me réchauffer, Jean.

Droit dans la lumière de la lune, il les
écoutait, le cœur battant.

Il n'arriverait jamais jusqu'à la grille, il
avait tant de mal à marcher. Il passa devant
le lit du Frère Théodule, qui ronflait encore,

la bouche entrouverte. Devant la pharmacie, l'odeur de remèdes le fit chanceler de dégoût, et il s'appuya contre le mur en retenant sa respiration. Son cœur battait trop fort.

Quelque chose remuait sans cesse devant ses yeux. Il ne fallait pas tousser. Doucement, il ouvrit la porte et sentit le vent d'hiver sur sa joue...

Ils étaient là, assis sur leur banc, dans la cour de récréation. M. le Curé et son bréviaire. Grand-Mère Antoinette recueillie sur son chapelet. Et un peu à l'écart, dans les rayons de la lune, Héloïse en extase, les bras en croix, la robe ouverte sur un sein blanc, légèrement soulevé. Plus loin, il vit sa mère qui pleurait silencieusement, le visage entre les mains.

— Jean, viens jouer avec nous, Jean!

Une grande faiblesse l'envahit à nouveau lorsqu'il voulut marcher jusqu'à la grille.

— Je viens, cria-t-il à ses frères. Je m'évade!

Mais il saignait encore du nez et il craignait de ne pas pouvoir se rendre.

M. le Curé leva la tête de son bréviaire :

— Mon pauvre enfant, dit-il, vous allez encore vous tromper de direction...

Mais Jean Le Maigre avait déjà ouvert la grille du noviciat. Une autre grille encore, et il serait libre. Bientôt, je serai sur la route, pensa-t-il avec satisfaction. Le Septième, Pomme et Alexis patinaient sur la glace. Ils n'avaient pas de chapeaux et leurs foulards

étaient dénoués. Jean Le Maigre tremblait de
vertige au bord de la patinoire.

— Viens, dit le Septième, nous allons t'apprendre.

Mais comme c'est dommage, pensait Jean
Le Maigre, comme c'est dommage que j'aie
perdu l'appétit. Il regardait tristement ces patins aux lames d'or que le Septième et Pomme
l'aidaient à chausser.

— Comme ça, ce serait plus facile de
s'évader, dit le Septième, en entourant de son
bras l'épaule de son frère. Tu n'as plus qu'à
nous suivre maintenant. Nous allons patiner
jusqu'à la maison. Laisse-toi porter par le
vent et tout ira bien. Mais prends garde de
tousser. Le Frère Théodule pourrait nous entendre.

Jean Le Maigre patinait au milieu de ses
frères. Il était si agréable de savoir patiner
sans jamais l'avoir appris : Jean Le Maigre
riait de plaisir. Quelle surprise, il était libre,
enfin! Mais soudain, il lui sembla que la
lumière avait disparu dans le ciel, et que ses
frères l'avaient abandonné. Il les appela, mais
eux ne répondirent pas. Il était seul à nouveau, et il voyait venir vers lui, sur la patinoire craquelée, tout un tribunal de jésuites,
avec leurs dossiers sous le bras. Il appela sa
grand-mère. Elle ne répondit pas.

— Ne craignez rien, mon enfant, dit M. le
Directeur qui s'approchait de lui, dans sa tunique de juge — nous ne sommes pas ici

pour vous punir, mais pour vous apprendre une bonne nouvelle.

— Ne me touchez pas, dit Jean Le Maigre qui craignait ce sourire lubrique sur la face pâle du directeur, Oh! monsieur le Directeur, laissez-moi m'évader. Je ne ferai plus jamais de sacrilèges. Je vous le promets, monsieur le Directeur.

Le directeur posa sa main sur la tête de Jean le Maigre.

— Ne vous troublez pas, mon enfant, dit-il. La miséricorde de Dieu est infinie. Regardez autour de vous. Vous comprendrez.

Jean Le Maigre leva un regard inquiet sur le rempart de jésuites qui le menaçaient de leurs dossiers.

— Oh! Monsieur le Directeur, laissez-moi sortir quelques minutes, je vais aller aux latrines.

— Pas cette nuit, dit le directeur, cette nuit vous êtes condamné à mort. Voilà la bonne nouvelle que nous sommes venus vous apprendre. Mais si vous ne toussez pas, si vous ne criez pas, je vous promets que cela ne fera pas de mal. Tournez-vous maintenant et baissez la tête.

Jean Le Maigre ouvrit le col de sa chemise. Il baissa la tête. Il ne lui restait plus qu'à s'agenouiller dans la neige et attendre...

CHAPITRE V

Cette nuit-là, Héloïse se consumait en d'étranges noces. Elle languissait de désir auprès de l'Epoux cruel, les mains jointes sur la poitrine, son blême regard flottant au plafond. Elle s'était dépouillée de tous ses vêtements pour la cérémonie, et par quelque solennelle pudeur, avait négligé d'enlever ses bas noirs, retenus par des élastiques qui encerclaient de rouge sa longue cuisse maigre. Après toutes ces heures de jeûne et d'attente, elle avait faim, mais son cœur se serrait d'écœurement à la pensée du repas refroidi que sa grand-mère avait déposé la veille au seuil de sa porte.

Comme elle l'avait fait autrefois, dans la solitude de sa cellule, elle allait s'offrir encore au Bien-Aimé absent qui laisserait en elle ces stigmates de l'amour dont elle garderait le secret. Mais au couvent, la visite de l'Epoux était si douce! Elle le recevait sans larmes et sans effroi, toute abandonnée à sa calme torture, à son horrible joie, les yeux fermés, son corps frémissant à peine sous le frêle drap blanc qui le recouvrait.

Parfois, le visage de l'Epoux se transformait imperceptiblement en s'approchant du sien. Sous le voile de l'inquiétude il empruntait des traits familiers et tendres, la bouche du jeune prêtre qu'elle avait aimé, le charmant sourire de Sœur Saint-Georges qui avait été sa voisine de réfectoire, la joue creuse et enfantine de Mère Gabriel des Anges qui s'occupait de l'infirmerie. Enveloppée de caresses mystérieuses, elle baignait dans l'étreinte de l'Epoux en savourant le plus de bonheur possible. Mais quelle humiliation lorsque Mère Supérieure ouvrait la porte de la cellule en criant :

— Par le ciel et tous les démons, qu'est-ce que je vois dans mon couvent ?

Héloïse sanglotait jusqu'à l'aube, à la chapelle. Trop meurtrie pour prier, elle sentait mourir à ses lèvres les faibles murmures d'un plaisir trop tôt disparu.

L'Epoux avait changé. Il ne savait plus la prendre ni la chérir, comme autrefois. Il ne posait plus sur elle ce beau regard troublant qui précédait l'offrande. C'est dans la terreur de son absence qu'Héloïse se donnait à lui. Elle tendait la main sur son lit. Il n'était pas là. Il n'était pas encore venu. Il était tard. Il ne viendrait pas, peut-être.

Elle n'osait pas bouger pour mieux être ravie par surprise. Car maintenant, elle le savait, son corps avait été trop endolori par les jeûnes, enlaidi par de curieuses souffran-

ces, pour qu'elle pût se sentir vraiment une
épouse. Toucher cette douce épave, baiser ce
front effaré, ces lèvres fétides, mais se pen-
cher sur la fraîcheur de ce cou très pur, était
le travail d'un brutal ravisseur. Etait-ce cela
le viol dont Héloïse avait rêvé, en ses chastes nuits au couvent ? « Qu'il me prenne,
qu'il me prenne enfin, et je vais défaillir. »
Mais quelques instants plus tard, elle luttait
contre l'Epoux vengeur qui mordait sa bouche et la rejetait sur le lit avec la même violence dans laquelle il l'avait prise — et se
plaignant à voix basse, elle regardait ses seins
délaissés, son ventre candide et attendait que
se referment les nocturnes blessures de son
corps vaincu.

★

Grand-Mère Antoinette allait d'un pas fer-
vent faire une courte visite matinale à son mourant. Absorbé par ses premières communions
au village voisin, M. le Curé avait recommandé
Horace aux soins de Grand-Mère Antoinette.
C'est avec un air de triomphe que Grand-
Mère sortait de la messe de cinq heures, épa-
nouie comme une lune sous les forteresses de
ses châles, la poitrine alerte sous son vaste
manteau. Elle aimait les aubes claires, le ciel
net, l'air tranchant comme une lame, elle était
à l'aise avec la sauvage pureté du froid. Mais
la neige, elle n'avait jamais aimé la neige.

« Je ne vous en veux pas, mon Dieu, gro-
gnait-elle, les jours de tempête, le souffle
court de traîner ses jambes lasses d'un abîme
de neige à un autre. Je ne vous en veux pas,
mais votre église est trop loin. » M. le Curé
la désapprobait d'un regard sévère et d'un
« Teu... Teu... Teu... Ma fille, ne blasphémez
pas! » lorsqu'elle osait s'emporter en fran-
chissant le porche de l'église.

— C'est bien ce que je croyais, le bon Dieu
n'a pas pensé à mes rhumatismes, encore aujourd'hui!

Lorsque le Septième et Pomme l'accompa-
gnaient pour lui servir de cannes ou de béquilles — ils se retrouvaient tous avec déshonneur enfoncés dans la neige jusqu'aux genoux,
avant d'atteindre la Croix du Chemin. Grand-
Mère Antoinette préférait se rendre seule à
l'église armée comme un soldat dans ses grosses bottes de caoutchouc.

Les jours de beau temps, elle visitait Horace, espérant qu'il rende le dernier soupir
pendant sa visite. Mais malgré sa gangrène,
la fréquente paralysie de sa jambe droite, et
le masque de boutons noirs sur son visage,
Horace se portait bien. Grand-mère lui faisait
manger de la bouillie à la cuillère et elle l'aidait à boire de la soupe aux pois. Elle lavait
sa chemise une fois la semaine, mais n'ayant
pas la patience d'attendre qu'elle sèche au
coin du feu, la lui remettait encore humide
sur le dos.

— Aïe... Aïe... tu me maltraites, gémissait Horace, en secouant la tête sur l'oreiller.

Mais, disait Grand-Mère Antoinette, *te plains pas, Horace, le Bon Dieu n'aime pas les plaintes*! Et pendant ce temps, elle raccommodait les bas du vieillard, balayait sa cabane, allumait le poêle, rentrait le bois pour le lendemain.

— *Anchoinette ché une brave femme, Anchoinette, alloume doncque ma pipe!*

Car dans les moments d'excessives douleurs, Horace crachait son râtelier de sa bouche et montrait à Grand-Mère Antoinette terrifiée ses vertes gencives nues qui évoquaient la mort.

Pour partager les dernières joies de son mourant, Grand-Mère Antoinette tirait quelques bouffées de sa pipe, elle parlait avec lui de la température, soupirait quand il le fallait, répondait aux échos de ses plaintes en hochant la tête, et laissait retomber toutes ses phrases sur un *Eh ben oui*, d'une grave mélancolie. Mais pas un instant, elle ne croyait que cela lui arriverait à elle aussi de mourir un jour, elle était d'une bienheureuse tranquillité en ce qui concernait sa propre mort. N'avait-elle pas survécu à Grand-Père Napoléon mort à un âge déjà avancé ? N'avait-elle pas survécu à ses enfants et petits-enfants ? Jaloux, Grand-Père Napoléon lui montrait des poings menaçants dans son sommeil.

— Napoléon, fais ton purgatoire et laisse-

moi vivre en paix, disait Grand-Mère Antoinette au fantôme qui hantait ses nuits. Trop
d'enfants, Napoléon, je t'ai donné trop d'enfants.

Si Grand-Mère Antoinette avait cédé à son
mari, ce n'était que pour obéir à M. le Curé
qui parlait toujours *du sentiment du devoir*
dans ses sermons, et parce que c'était la vo-
lonté du Seigneur d'avoir des enfants. Grand-
Mère Antoinette nourrissait encore un triomphe secret et amer en songeant que son mari
n'avait jamais vu son corps dans la lumière
du jour. Il était mort sans l'avoir connue, lui
qui avait cherché à la conquérir dans l'épou-
vante et la tendresse, à travers l'épaisseur
raidie de ses jupons, de ses chemises, de mille
prisons subtiles qu'elle avait inventées pour se
mettre à l'abri des caresses.

-– Mon Dieu, Horace, tu lui ressembles, tu
ressembles à Napoléon ce matin.

Car elle avait aimé Napoléon pendant son
agonie. Traître et douce, on l'avait vue à son
chevet, les joues rougies par le zèle, complice
de la mort qui approchait mais soucieuse des
derniers instants de vie.

-– Ah! Ah! salivait Horace en riant : *Che
veux pas mourir, Anchoinette, pas auchourd'ui,*
ce sera pour demain, *Anchoinette!*

Horace décourageait Grand-Mère Antoinette
par son obstination. Lui aussi semblait vouloir poser sur son front une couronne immortelle et glacée. Rageuse, Grand-Mère Antoinette

décidait de le laisser vivre une journée de
plus.

— A ton âge, Horace, tu devrais avoir
honte d'aimer tant la vie!

Elle se levait de sa chaise en se plaignant
de ses rhumatismes, elle lavait Horace une
fois de plus, sans dégoût pour ce corps déjà
touché par la pourriture, le soulevant dans
son lit, avec tendresse, elle le berçait comme
un enfant, le consolait de ses longues souf-
frances, comme un nouveau-né, et il lui arrivait de penser, le cœur soudain rempli de
détresse et de nostalgie — que reposait sur
ses genoux, le corps léger, le corps périssable
de Jean Le Maigre...

★

C'est ainsi que Grand-Mère Antoinette se
décida à partir pour le noviciat un froid matin d'hiver après la messe, amenant avec elle,
pour l'aider à monter dans le train, Pomme
et le Septième arrachés à leur incertain sommeil, la joue blanche sous leur casque de
cheveux, leur pantalon trop court, dévoilant
l'espace rose d'une cheville meurtrie par le
froid. Car il n'y avait pas de gare, ou s'il
y en avait une, elle était en plein vent. Cette
cabane rouge, son banc de bois, avaient un
aspect solennel de départ pour le Septième
qui les comparait aux latrines solitaires sous
le ciel, à son cher exil au milieu des champs.

où il avait lu tant de récits de voyage, à la lueur du jour comme à la lueur de la chandelle, le soir.

Pomme, lui, n'osait pas ouvrir les yeux. Ouvrir les yeux assombrirait la ligne calme de son horizon. Dans le train, il se blottit comme un chat sur le sein laineux de sa grand-mère. Abandonné au blanc sommeil de l'insouciance, il sentit à peine cahoter le train au bord de ses rêves, mais lorsque franchit sa paupière la tiède caresse du soleil, il sut que le jour se levait et déclinait lentement au rythme du voyage et qu'il ouvrirait bientôt les yeux sur un soir doré et immobile. Ils arrivèrent à la fin de l'après-midi et Pomme, brusquement livré à son réveil, vit l'ombre du noviciat au loin, et par la brèche du soleil couchant, un oiseau noir dans le ciel.

★

Grand-Mère Antoinette suivit le Frère Théodule à l'infirmerie, respirant dans son sillage une odeur bien précise qui était celle de la mort. Dans le dortoir vide, d'une blancheur inquiétante qui donnait le vertige, Grand-Mère Antoinette observa que l'on avait défait le lit de Jean Le Maigre, vidé son armoire et rangé ses manuscrits sur la table. Elle pouvait aussi voir l'encre asséchée dans l'encrier, les marques des courtes dents impatientes sur les crayons à demi rongés. Ouvrant

un à un les minces cahiers d'écolier, elle vit
aussi les lettres que Jean Le Maigre avait
tracées avec application, application et désespoir, car certains mots avaient perdu de
leurs syllabes lorsqu'une main soudain lan-
guissante s'était interrompue au milieu d'une
phrase, d'un paragraphe. Chaque cahier trahissait un moment de la maladie de Jean Le
Maigre, une ardeur heureuse et triste, sur le
point de se tarir. Grand-Mère Antoinette eût
voulu serrer contre son cœur ces pages, afin
que chacune s'inscrive en elle pour toujours
avec sa morsure fraîche, son secret féroce.
Mais interdite de pudeur, elle ne se permit
aucun geste en présence du Frère Théodule.
D'ailleurs, elle avait d'autres soucis que ceux
de pleurer un disparu! Puisqu'elle arrivait
juste à temps pour l'enterrement de Jean
Le Maigre, elle devait penser à payer sa
tombe. « Ah! les morts me ruinent! pensa-
t-elle en haussant les épaules, et celui-là plus
que les autres encore! »

— Une belle tombe, dit Grand-Mère Antoinette, après un moment de silence; je veux
que Jean Le Maigre soit fier de moi, jusqu'au
bout, une belle mort, dit-elle, avec candeur et
humilité, beaucoup de messes pour son âme,
beaucoup de fleurs, il aimait tant les céré-
monies!

Mais Grand-Mère Antoinette eut le cœur
serré à nouveau, lorsque grattant de l'ongle
le givre de la fenêtre, elle aperçut le cimetière

sous les arbres, le vert reflet de la lune sur
la neige...

★

A genoux près de leur grand-mère, dans la
chapelle du noviciat, Pomme et le Septième
frottaient leurs paupières rougies par l'émotion. Eux qui ne connaissaient de la musique
que la tremblante chorale des Enfants de Marie de leur paroisse et la frêle plainte qui
montait de l'orgue de l'église s'émerveillaient
devant le chœur de novices, dont les voix
jaillissaient si sauvages de l'enfance — et
parfois si fragiles, aussi, qu'elles semblaient
sur le point de se briser comme du cristal
sur la pierre —, que les mots du *Libera Me
Domine De Morte aeterna* sonnaient avec
allégresse ce jour que Jean Le Maigre avait
baigné d'une auréole funèbre, dans son imagination. Les novices se lancèrent avec plus
d'entrain encore sur le *Kyrie eleison,* et même
Grand-Mère Antoinette ne put maîtriser un
frisson d'espérance, en les écoutant. Après
tout, pensa-t-elle, ce n'est pas aussi triste que
je le pense. Jean Le Maigre aura moins froid
au paradis que sur la terre. Il n'aura plus
mal aux oreilles, lui qui a tant souffert, le
pauvre enfant, vite faites-lui miséricorde, Seigneur !
    Fière de ses larmes, elle en versa beaucoup
dans ses prières. Je veux qu'il soit au para-

dis, Seigneur, je veux qu'il soit au paradis. (Les novices achevèrent le *Ite missa est* sur une plainte si stridente que Grand-Mère Antoinette dut chasser le spectre fragile de Jean Le Maigre livré aux flammes du purgatoire.) Ses larmes éteignaient à mesure le brasier sec de l'enfer, et c'est en se mouchant avec violence que Grand-Mère Antoinette passa de la messe à l'enterrement, comme d'un spectacle affligé à un autre. Ce n'est que lorsque le cercueil de Jean Le Maigre glissa dans la terre, disparut lentement dans son trou de neige et de terre mouillée, sous la raide offrande des jeunes Frères qui, tour à tour, jetaient une fleur blanche sur la tombe de celui qui devait porter plus tard le nom de *Frère Jean Joachim Ambroise de la Douleur* — avec l'air d'enterrer des morts chaque jour dans cette commune indifférence avec laquelle ils avaient chanté le *Requiem* quelques instants plus tôt à la chapelle, que le Septième et son frère réalisèrent un peu la gravité des événements. Mais encore distraits par le son des cloches, et une bruissante envolée de corbeaux, dans les arbres du cimetière, il leur arrivait d'oublier le mort qu'ils pleuraient ave tant d'ardeur. *Ra-Ora-Pro-Nobis,* récitaient les Frères en chœur, tenant d'une main leur tunique qui s'envolait au vent, tandis que la voix forte des prêtres recouvrait aussitôt leur murmure d'un *Pro no bis* lugubre et lourd.

Tout de même, pensait Grand-Mère Antoi-

nette, fière d'avoir choisi une colline pour enterrer son petit-fils, et jetant sur sa tombe
toute une poignée d'avoine qu'elle destinait
aux oiseaux dans les réserves de ses poches,
tout de même, il sera mieux ici qu'à la maison. Trop de vent, peut-être, mais il s'habituera...

Requiem aeternam dona ei, Domine, murmurait le chœur, et levant la tête vers le
ciel, Grand-Mère Antoinette sentit que l'air
était plus froid sur ses joues, et les nuages
plus sombres à l'horizon.

Pomme et le Septième enlevèrent leur chapeau de feutre noir et, debout auprès de leur
grand-mère, firent le signe de la croix.

Héloïse se préparait à partir. Assise sur le
bord de son lit, dans sa robe de religieuse,
son fin visage alangui tourné vers la fenêtre,
elle revivait peu à peu. Les rayons de soleil
qui tombaient sur les murs gris de sa chambre semblaient éclairer ce désordre dans lequel la jeune fille avait vécu depuis quelques
mois, comme en compagnie d'une folie douloureuse et fatiguée. Ce désordre ne se compo-
sait que de quelques objets abandonnés dans
un coin, nourriture enveloppée de papier
jauni, un drap taché de sang vivement rejeté
sous le lit, en un moment de honte, une valise
ouverte, et sur le plancher sale, un crucifix,

des lettres, des monceaux de lettres qu'Héloïse
n'avait jamais eu le courage d'envoyer à ceux
à qui elle les avait écrites, et qu'elle se lisait
à elle-même silencieusement aujourd'hui, dans
la solitude de sa chambre. Elle n'entendait
pas les cris du bébé, dans la cuisine. Enveloppée de ces plaintes obscures avec lesquelles
elle avait l'habitude de vivre, comme une
sourde dans le sifflement de son silence, elle
revoyait le rêve singulier qu'elle avait fait
pendant la nuit.

A nouveau, elle ouvrait la grille du couvent
accompagnée de Sœur Georges du Courroux
qui lui remettait une clef pour sa cellule, en
lui recommandant de ne pas recevoir son confesseur pendant la nuit, et de ne pas réciter
ses prières à voix haute afin de ne pas éveil-
ler la Supérieure. Humblement, Héloïse baissait la tête en disant : « Oui, ma Sœur, oui,
ma Mère » d'une voix enfantine. A la chapelle,
les novices, plutôt que de chanter les vêpres,
un cierge à la main comme elles en avaient
l'habitude le jour de Pâques — remplissaient
la chapelle de clameurs rieuses, d'applaudis-
sements surpris, et leur coiffe négligemment
rejetée sur l'épaule, dévoilaient une à une, en
passant devant Héloïse dans une danse amusée, de longues chevelures brunes et blondes,
que la coiffe avait longtemps tenues captives
dans ses fils noirs.

Héloïse elle-même dut se découvrir pour se
joindre à ses compagnes, et c'est avec la même

douceur sacrilège qu'elle sentit ses cheveux
libres flotter autour de son cou, agréablement
se dérouler sur ses épaules leurs boucles
chaudes couleur de maïs. Mais son confesseur
interrompit cet élan de bien-être, lorsque se
dirigeant vers l'autel il écarta sèchement les
religieuses sur son passage et dit :

— C'est le tour de *Sœur Héloïse des Marty-
res et du Sang versé,* de faire une confession
publique... Je possède ici tous les documents
de sa condamnation. La Révérende Mère Supérieure m'a remis toutes ses lettres. Que la
bonne Mère Héloïse consente à se faire couper les cheveux en paix. Et je lui donnerai
ma bénédiction.

Avec cette humilité terrible qui menace le
rêveur le plus insouciant, le plus fier, et qui
entoure les plus beaux songes, les délires les
plus innocents d'une ombre vaguement hon-
teuse, d'un trouble plus ou moins précis —
assise auprès de ses compagnes qui étouffaient de rire dans leurs bancs, Héloïse pleurait doucement. Il lui semblait que toutes
l'avaient trahie, que son confesseur lui-même,
qui, à ce moment-là, lisait devant ces religieuses devenues méchantes et frivoles ces
lettres ridiculement secrètes qu'Héloïse avait
écrites à plusieurs de ses compagnes pour
mendier du secours ou quelque austère
affection — il lui semblait que cet homme
qu'elle avait aimé, lui aussi, dans le même
secret audacieux et tendre — s'amusait à l'hu-

milier comme les autres. Ne riait-il pas cruel-
lement ? N'imitait-il pas la voix de sa détresse en lisant à Sœur Georges du Courroux,
d'une voix faussement amoureuse :

> *O Sœur Georges du Courroux,*
> *sous votre céleste baiser*
> *Je défaille et je meurs.*

Et à Sœur Philomène de la Patience qui rou-
gissait d'orgueil, ces mots fiévreux :

> *Bien-aimée Sœur Philomène,*
> *vous dont le cœur ruisselle de miséricorde,*
> *veuillez absoudre ma passion.*

Lui aussi, avait le pouvoir de la torturer
et de lui inspirer une honte infinie... Héloïse
pleurait, pleurait, ne trouvant nulle épaule
pour la réconforter, elle qui avait été heureuse quelques instants plus tôt en dansant
dans la chapelle ensoleillée. Ses sanglots ne ré-
veillèrent pas la Supérieure qui dormait d'un
sommeil lourd, accroupie contre le mur, le visage renversé sur la poitrine. L'âme d'Héloïse
avait été mise à nu, non seulement son âme,
mais son corps (n'avait-on pas coupé ses cheveux devant tout le monde, rasé sa tête ?
Elle touchait sa nuque raide, son crâne dé-
pouillé...) et que ses passions les plus silen-
cieuses, ses amours les plus contenues, l'a-
vaient reniée d'une manière dégradante. Peu

à peu, le jour tomba, la lumière s'assombrit
entre les vitraux de la chapelle, Héloïse respirait à nouveau.

Bercée par sa misère quotidienne, recon-
naissante soudain, elle ouvrit les yeux, re-
trouva les murs gris de sa chambre...

★

Les hommes avaient déserté ta maison
avant l'aube, oubliant le bol de café attiédi
sur la table et l'assiette souillée sur le poêle.
Sans doute avaient-ils mangé debout, le regard tourné vers la fenêtre, impatients et ner-
veux devant la journée à accomplir. Héloïse
s'était lavée avec violence, et l'eau froide lui
avait fait du bien. Assise près du berceau de
l'enfant, ses mains oisives sur les genoux,
elle s'attardait à partir, sa valise à ses côtés.
Elle était enveloppée d'un manteau trop long
pour elle qui ne laissait apparaître que les
deux lignes noires de ses bas épais. Les épaules basses, le regard vaguement accablé, elle
pouvait ressembler à sa mère, ne fût-ce qu'un
instant, lorsqu'elle se tourna vers l'enfant et
le prit dans ses bras pour le dépouiller de
ses langes humides. Avec sa mère, elle semblait soudain partager une rude tendresse au
bord du dégoût.

Emmanuel dormait maintenant. Héloïse
pensait à autre chose. Elle sentait à nouveau
l'élan du désir dans sa poitrine — et fermant

les yeux, elle s'abandonnait au songe triste de
l'amour qu'elle avait fait pendant la nuit.
Cette fois, le couvent avait été transformé en
une hôtellerie joyeuse que fréquentaient des
hommes gras et barbus, des jeunes gens aux
joues roses, à qui Héloïse offrait l'hospitalité
pour la nuit. Elle les recevait dans sa cellule,
et les religieuses faisaient brûler de l'encens
à la cuisine pour les visiteurs. Héloïse était
aimée. Les hommes ne semblaient pas remar-
quer son corps chétif et cette sueur de fatigue
qui humectait tous ses vêtements d'une longue
tache sombre. Les jeunes gens posaient sur
elle des regards de convoitise, et elle s'offrait
humblement aux caresses les plus hardies, à de
furieuses étreintes qui la laissaient tremblante
d'effroi et de plaisir dans son lit. « Héloïse,
Héloïse, s'écriait soudain la Supérieure, en ouvrant la porte de la cellule, *vous avez perdu
votre âme, ma pauvre enfant!* » Ainsi s'achevait toujours ce rêve qu'Héloïse avait fait tant
de fois, dans ses nuits solitaires. Elle ne ferait
plus ce rêve désormais. Il deviendrait son do-
maine réel, l'espace de sa vie.

A dix heures, Héloïse avait quitté la maison. Elle parlait à regret de ne pas entendre
la voix de ses sœurs, se disputant dans l'escalier, au retour de la ferme, leurs grosses
voix de garçons, leur pas lourd sur le seuil,
pour la première fois elle eût aimé les entendre aujourd'hui...

CHAPITRE VI

L'hiver achevait. Grand-Mère Antoinette s'étiolait de solitude dans son fauteuil. Héloïse ne descendrait plus pour la prière du soir. Les hommes ne rentraient plus que pour manger et dormir. Grand-Mère Antoinette s'ennuyait. C'est avec un regard distant qu'elle croisait sa fille à table ou quelque jeune garçon assoupi dans un coin, tenant dans ses bras un chien maigre au museau allongé vers la chaleur qui se répandait du poêle. Anita, Roberta, Aurélia n'osaient plus approcher Grand-Mère Antoinette depuis la mort de Jean Le Maigre. Elles disparaissaient dans leur chambre avant l'heure de la prière. Blotties les unes contre les autres dans l'ombre, elles parlaient à voix basse, étouffaient des exclamations grossières. Grand-Mère Antoinette s'irritait au moindre bruit, elle qui avait été surprise souvent par l'impérieuse résonance de sa propre voix. Elle parlait de moins en moins, sinon pour se mettre en colère et accabler son gendre. Elle l'accusait ouvertement d'avoir tué Jean Le Maigre, par sa négligence, sa paresse; elle lui reprochait, avec

plus de calme, toutefois, de ne pas savoir lire,
elle qui peinait si misérablement pour déchif-
frer l'écriture de Jean Le Maigre, et lire ses
manuscrits jusqu'à la dernière ligne. Elle les
traînait partout avec elle dans la crainte
qu'une main ingrate les jette au feu. L'homme
ne se laissait pas troubler par ces reproches.
Ne pouvant nourrir deux vagabonds qui er-
raient par le village et volaient les poules des
voisins, au lieu d'aller à l'école, il avait mené
à la ville comme apprentis dans une manufacture de souliers, Pomme et le Septième que
la décision de leur père avait enchantés, et
qui quittaient sereinement leur grand-mère, la
mine ravie et les yeux brouillés de reconnaissance de pouvoir enfin gagner leur pain...

— O ciel, dit Grand-Mère Antoinette, ayez
pitié de ces animaux que l'on mène à l'abat-
toir...

Baignant dans les vomissures de son berceau, ses petits yeux vifs à la paupière ridée,
Emmanuel se portait bien depuis la mort de
Jean Le Maigre. Pour se consoler de la disparition de son fils, découvrant sans doute
que Jean Le Maigre, comme plusieurs de ses
enfants, lui était plus cher mort que vivant
— la mère se tournait vers Emmanuel et le
sevrait nerveusement de son sein flétri. Grand-
Mère Antoinette, elle, traitait Emmanuel du
haut de sa mauvaise humeur, lui reprochant
déjà tous les défauts qu'elle jugeait sévèrement chez son père. Cela n'empêchait pas Em-

manuel de provoquer sa grand-mère avec
ses cris perçants de perroquet, et la quotidienne mare qui s'écoulait de son berceau
troué, sur le plancher. Quand il n'y avait
personne, l'après-midi, le bébé et la vieille
femme semblaient dialoguer à leur façon, doucement d'abord, comme font les oiseaux, puis
soudain, pleins de menaces et de querelles,
se montrant l'un à l'autre avec contentement
l'esprit batailleur qu'ils avaient en commun.

Mais les jours passaient, et Grand-Mère Antoinette ne permettait à personne de venir
s'asseoir près de son fauteuil, comme l'avait
fait Jean Le Maigre tant de fois, repliant ses
longues jambes, et s'étirant le cou pour voir
sa grand-mère, pendant qu'elle tricotait ou
brodait. D'autres saisons viendraient, Emmanuel grandirait, lui aussi, peut-être, qui sait
— aurait un jour une place choisie dans le
cœur de la vieille femme ? Mais elle chéris-
sait trop orgueilleusement sa peine pour vouloir en guérir. Elle se penchait encore sur
Jean Le Maigre vivant, puisqu'elle lisait ses
œuvres, se permettant encore, comme M. le
Curé, mais avec plus d'ignorance encore, de
le juger sur les blasphèmes, de s'écrier avec
amour à chaque page : *quel scandale, quel
scandale, mon Dieu.* M. le Curé a raison, il
faut vite déchirer ces cahiers! Mais elle tar-
dait toujours à le faire, et tournant les pages
avec impatience, elle remontait encore plus
loin, vers la vie de son petit-fils, s'irritait

devant un mot trop rigide, un symbole trop
secret, au point d'être jalouse de ces pages
jaunies auxquelles Jean Le Maigre s'était livré
plus qu'à elle-même. Il lui arrivait aussi de
se mettre en colère contre ce Jean Le Maigre
tour à tour gracieux et impudique qui avait
écrit dans ses *Prophéties de famille* que
son frère Pomme finirait en prison, le Septième à l'échafaud, et sa sœur Héloïse au
bordel. (S'arrêtant à la ligne « Une auberge
retirée à la campagne » Grand-Mère Antoinette ne comprit pas.) Jean Le Maigre avait
écrit également que sa grand-mère mourrait
d'immortalité à un âge avancé et que son
jeune frère Emmanuel qui *aujourd'hui pleure
les pleurs amers du berceau* finirait au noviciat, succombant à la digne maladie dont
Jean Le Maigre lui-même avait été atteint.

— Malédiction, oh, malédiction! s'écriait
Grand-Mère Antoinette, mais des confidences
de Jean Le Maigre disparu, de cette âme au-
dacieuse jusqu'au blasphème, elle fortifiait
son amour, nourrissait son orgueil.

Ainsi, passaient les silhouettes étranges de
Marthe la Petite Bossue (ou encore Margue-
rite La Longue ou Jocelyne à la tête pleine de
poux ou la

Chère Carmen de la rose et des tulipes
Qui m'apportait des bonbons à Pâques...

du Frère Théodule qui se promenait la nuit
dans le dortoir des petits, de M. le Directeur,

etc., enfin toutes ces ombres qui avaient hanté *du doux supplice des sens*, les nuits plus ou moins chastes de Jean Le Maigre). Mais Grand-Mère Antoinette fermait les yeux avec discrétion et se consolait en pensant que ces créatures (grâce à Dieu) n'étaient que des créatures de l'imagination, et ne pouvaient pas exister vraiment. Passant de *la caresse de l'ombre sur mon front*, Jean Le Maigre avait achevé sa vie dans la violence et le crime.

Ils le tueront, mon Dieu, ils le tueront
Je vois dans le ciel blanc
Leur couteau vengeur
J'entends les cris farouches
Interrompus de mon requiem...

C'est une bien mauvaise fin, pensait Grand-Mère Antoinette. Une bien triste mort en vérité. Mais elle n'en croyait rien. Jamais Jean Le Maigre ne lui avait paru aussi vertueux que depuis l'heure de sa mort, jamais il ne lui avait paru en aussi bonne santé que depuis qu'il était dans sa tombe bien tranquille, là-haut, sur sa colline... Pourtant, il lui semblait aussi que l'hiver était plus long que d'habitude, que les jours finissaient trop tard, que la nuit ne lui apportait plus le même repos. Sans doute commençait-elle à vieillir. Sans doute, avait-elle déjà beaucoup vieilli en quelques jours...

★

Dans son imprudence à semer partout autour de lui des poèmes, des lettres ou quelque
partie de son journal intime, Jean Le Maigre avait ainsi livré une bonne récolte à la
curiosité du Frère Théodule. Celui-ci s'en délectait maintenant, l'œil humide, et la lèvre
tremblante. Sa fine main blanche, croyant
toucher le chaud cadavre de Jean Le Maigre,
effleurait du bout des doigts le rugueux papier aux lettres enfantines dont les G, les L
et les C, et toute lettre ronde et fraîche évoquait pour le pauvre Frère des formes connues, des sensations intimes. (Toutefois, pour
le lecteur ordinaire, elles n'étaient que de
grossières taches d'encre souillant de leurs
ombres les plus beaux élans poétiques de
Jean Le Maigre: Les A, les V, les L et les U
avaient le frémissement des joues que caresse
une brise tiède et automnale... Le Frère Théodule avait enterré Narcisse, le Frère Paul, le
Frère Victor (très jeune le Frère Victor, avait
dit le Supérieur, ils meurent bien jeunes dans
votre infirmerie! Le Frère Théodule avait
humblement baissé les yeux. « L'homme prie,
Dieu décide. J'ai fait mon devoir ») et Narcisse avait sur sa tombe cette inscription :

Frère Narcisse décédé 12 ans 6 mois
Aux anges le Paradis
Aux innocents l'éternité. Amen

Et Paul, quel superbe enfant!

Frère Paul de la Croix
13 ans un mois
Que la lumière te couronne
Bien-aimé mortel

Comme il avait ravi ces âmes, le Frère Théodule possédait Jean Le Maigre. Contrairement à ceux qui l'avaient précédé dans un pareil destin, Jean Le Maigre n'avait pas eu besoin d'être beau pour séduire le diable. C'est même sa laideur charmante qui l'avait conquis — ou plutôt le Frère Théodule ne savait quoi de mystérieux et de touchant l'avait ému chez Jean Le Maigre. Son exquise folie, peut-être, ou quelque chose de plus inquiétant encore : les bonnes dispositions que l'adolescent possédait pour ce que le Frère Théodule appelait *le mal* sans chercher à le définir toutefois. Enfin, le Frère Théodule n'avait jamais eu un disciple aussi agile à le suivre, une proie aussi légère et amusée dans le péril. Sans le savoir, Jean Le Maigre avait un peu rafraîchi le diable de ses obsessions et avait laissé derrière lui (au moins pour quelques jours) le souvenir d'une délirante camaraderie, mais encore imprégnée de tendresse. Mais il était bien tard pour approcher la délivrance. Le Frère Supérieur avait levé un œil soupçonneux sur son infirmier :

— Et le Frère Narcisse, de quoi est-il mort précisément?

— La scarlatine, mon Supérieur, comme beaucoup d'autres. Ah! Dieu est bien dur!

Mais le Frère Théodule dut admettre plus tard qu'il avait apaisé la fièvre de son malade en le plongeant dans un bain glacé. De cette maladroite confession, il passa à une autre. Le Frère Jean s'était endormi pour toujours (une erreur, une simple erreur, mon Supérieur) dans des nuages d'éther, pendant l'une de ces singulières expériences du Frère Théodule dans son laboratoire. Et puis le Frère Frédérik...

— Non, je ne veux rien entendre de plus! dit le Supérieur, alarmé. Quittez ce noviciat dès ce soir!

Déçu de ne pas attirer l'attention des évêques et des cardinaux qui le faisaient rêver aux heures mélancoliques où il chassait les petits garçons dans les couloirs malodorants du noviciat, le Frère Théodule s'en alla tristement comme il était venu, avec ses gros souliers crasseux, vêtu de ses haillons de pauvre, comme lors de son entrée précoce au noviciat, quelques années plus tôt. Hélas! pensait-il, Dieu l'avait trompé... Il avait cru, comme beaucoup de ses confrères dans le malheur, que Dieu, non seulement lui accorderait le pardon pour ses fautes à venir, dont il sentait déjà le poids ardent, mais aussi, cette paisible sécurité dont les vices ont besoin pour s'épanouir, et comme les plantes, s'épanouir à la lumière du jour.

Comme le Frère Théodule n'avait pas perdu de temps depuis la mort de Jean Le Maigre, il avait déjà élu à ses fins, deux ou trois autres Jean aux cheveux bouclés et à la voix rêveuse, que le Supérieur chassa en même temps que le diable, leur rappelant qu'en enfer *vous brûlerez à l'endroit où vous avez péché*, accompagnant ses paroles de châtiments honteux dont se souviendraient pour toujours ces coupables au visage d'ange qui avaient fait l'apprentissage du vice entre les murs des orphelinats et des couvents et qui ne demandaient pas mieux que de quitter enfin pour la liberté ce sauvage paradis de leurs sens oisifs.

Le Frère Théodule nouait les lacets de ses souliers en reniflant ses larmes. Jeune encore, il était seul au monde... (pas de mère, pas de maison, et une vocation brisée, il ne mangerait plus à heures fixes, il ne dormirait plus dans des draps propres, il ne pourrait plus se servir d'un savon pour se laver, et maintenant son salut était incertain, Dieu ne le protégerait plus contre la tentation, ah! comment pouvait-il être aussi malheureux?) Il retournait à la rue, avec son joli visage enfantin, ses appels, ses sifflements — ses appels dans l'ombre des églises, à la sortie des écoles, sa poursuite inquiète sur les plages, le long des rivières où jouent les enfants à ces jeux indécents qu'il pouvait observer sans

être vu — le menton caché dans le col de son
manteau, fumant, fumant sans fin, une cigarette rabougrie entre ses doigts tremblants.
(« Pardon, mon Père, je ne recommencerai
plus, je vous le promets, mon Père. » « Allez
en paix, mon fils, et ne péchez plus. ») Il
allait en paix, et il recommençait le lendemain, ou si possible, le jour même de sa confession. Mais quel espoir de sentir que Dieu
l'attendait dans toutes les églises, qu'il recevait ce pardon comme une nourriture conte-
nant la précieuse énergie pour accomplir le
mal, aussitôt qu'il en avait bénéficié.

— Seigneur, Seigneur, ayez pitié de ma dignité perdue!

Mais avec quelle ardeur il continuait la
chasse après la prière, avec quel élan de foi il
se jetait sur la jeunesse ensuite, murmurant
jusqu'à l'oreille de ses victimes, ces faibles
mots d'adoration et de désespoir qu'il adres-
sait aussi à Dieu, dans ses supplications.

N'ayant jamais connu la douceur du sein
maternel, il était ennemi des femmes et des
mères depuis sa naissance. Il avait grandi au
milieu des prêtres, dans la sombre forêt des
Frères, chassé d'un noviciat à l'autre, mais tirant gloire et vanité de la mauvaise image
que l'on avait de lui.

— Mais peu importe, mon Dieu, pensait-il
en laçant ses souliers, peu importe, je suis libre, je pars...

Il songeait que les femmes s'écarteraient

désormais sur son passage, que les mères auraient pour lui ce regard sévère (et qui sait, ce mouvement de dégoût qui lui glaçait le cœur). « Celui-ci a choisi nos fils en pâture... » pourrait-il les entendre penser, en passant auprès d'elles, dans la rue. « Cet homme est maudit pour l'impureté de ses actes. »

Mais, pensait-il aussi, tout ira bien, je donnerai des cours, des leçons de piano... J'aurai une chambre à moi, je m'achèterai des livres, recommencer, tout recommencer, oui, c'est ça, je donneraï des leçons...

Il se leva, boutonna sa chemise, fuma une cigarette en marchant une dernière fois dans son infirmerie, sans regard pour le lit où Jean Le Maigre était mort (il avait perdu la vie si tranquillement que le Frère Théodule ne l'avait pas remarqué; quelques minutes plus tôt, il avait demandé l'heure, et puis un peu de thé — beaucoup de sucre dans le thé, ces simples paroles n'ayant rien de prophétique, le Frère Théodule les avait à peine entendues...), où il avait fermé les yeux, sans extrême-onction, et le plus docilement du monde, comme si le geste de mourir ne l'eût pas vraiment concerné (c'était au moins ce que croyait le Frère Théodule), mais la tête basse, fixant le bout de ses gros souliers, en songeant qu'il n'était qu'un jeune homme vulgaire, et que tout en lui (jusqu'au pli négligé de son pantalon) avait cet aspect fatal de la vulga-

rité et de la déchéance. Mais malgré cette mi-
nable apparence de pauvreté et de misère, il
était redoutable, pensait-il, il se ferait craindre.

— Oui, on parlera de moi dans les journaux,
tout le monde le saura, je leur ferai peur
jusqu'au bout, je prendrai leurs fils, j'irai les
pendre aux arbres, je les étranglerai... je...

Il essuya la sueur qui coulait sur son front.
Vite, il eut recours à Dieu. Recueilli entre
ses mains jointes, il eut quelques instants de
paix.

★

L'après-midi, Grand-Mère Antoinette parlait à Emmanuel en tricotant d'interminables
chaussettes multicolores — vertes, bleues, rouges, rayées, empruntant peu à peu les couleurs
du soleil couchant. Bondissant de joie, Emmanuel battait des mains et des pieds, et mena-
çait sa grand-mère de sauter de son berceau
dans un continuel débordement d'humeur et
de curiosité. Si curieux que Grand-Mère Antoinette dut lui arracher des mains plusieurs
fois les aiguilles de son tricot, ou les épingles
accrochées à son corsage, dont il s'emparait
pour les manger, dès que sa grand-mère se
penchait vers lui, pour mieux le voir...

— Ah! disait-elle, tu lui ressembles, tu es
curieux comme Jean Le Maigre.

Ce qui comblait Emmanuel d'un juste orgueil, et le faisait crier plus fort et d'une voix plus aiguë. Pour Emmanuel, le paysage de Grand-Mère Antoinette s'agrandissait de plus en plus chaque jour. Le nez de sa grand-mère avait la majesté d'une colline, ses joues, la blancheur de la neige, et de sa bouche coulait une haleine froide comme le vent d'hiver. Et les oreilles de Grand-Mère Antoinette, Emmanuel les aimait délicieusement! On pouvait les mordre comme des cerises, et même jouer avec le nez de grand-mère, quand elle le permettait, par distraction.

—Voyou, petit voyou, disait la vieille femme grondeuse et gentille, repoussant et attirant à la fois cet ourson qu'elle désirait accabler de coups de patte, pour l'amuser comme pour le vaincre.

Mais se vengeant de la morose indifférence avec laquelle sa mère l'avait souvent nourri les premiers jours, Emmanuel feignait de l'oublier, en lui préférant les rudes caresses de sa grand-mère. Mais à peine s'était-elle approchée de lui le soir, qu'il cherchait son sein de ses lèvres assoiffées. Sa mère étendait sur lui l'aile silencieuse du sommeil.

La nuit, il dormait dans la même chambre que ses parents, séparé de sa mère par l'ombre de son père qui enveloppait d'une terreur sacrée ses rêves du présent comme ceux de l'avenir. Il reverrait plusieurs fois, en vieillissant, cette silhouette brutale allant et venant dans la chambre. N'était-ce pas lui l'étran-

ger, l'ennemi géant qui violait sa mère chaque
nuit, tandis qu'elle se plaignait doucement à
voix basse. « S'il vous plaît, les enfants écou-
tent... » Mais lui la faisait taire soudain, et
Emmanuel n'entendait plus que de grêles soupirs, des murmures étouffés : « Non... Non,
mon Dieu, non! » ou bien ce « trop... fa...ti...
guée... » qui achevait l'étreinte ininterrompue.

Immobile dans son lit, les poings serrés, il
écouterait jusqu'à l'épuisement ces supplications de joie et de peine, honteux que sa mère
obéisse à cet homme qui lui donnait des or-
dres la nuit. L'oreille appuyée contre la cloi-
son, Anita, Roberta, Aurélia écoutaient elles
aussi, ce tumulte nocturne dans la chambre de
leurs parents et elles s'en réjouissaient comme
d'une fête cruelle où s'ébattaient leurs impu-
deurs naissantes. Car que connaissaient de la
vie ces jeunes filles, qui, à l'approche du printemps, ressemblaient de plus en plus à des
chèvres alanguies dans la broussaille de leurs
cheveux — que connaissaient-elles des hommes, sinon ces amoureux du dimanche qui
venaient timidement les demander en mariage,
pieds nus dans leurs épaisses chaussures,
encore vêtus de leur quotidienne salopette
bleue à bretelles et de la blanche chemise
de coton ouverte sur la poitrine ? Chape-
ronnées par leurs frères aînés qui les ob-
servaient derrière le journal, et le rideau bleu
qui s'élevait de leurs rangs de pipes, elles
n'avaient rien à espérer auprès de ces bouton-

neux jeunes gens qui les fréquentaient sans
même oser les regarder.

Mais l'aube venait tôt et une première
flamme rouge caressait vite le givre de la fenêtre sans en brûler le dessin, la lumière du
jour pénétrait la chambre, et enfin, Emmanuel entendait les cinq coups de l'horloge,
Ding Dong Ding Dong Doung, qui annonçaient
le pas de sa grand-mère dans le couloir, le
cou que li cou que li du coq, dans la cour,
bientôt suivi par l'apparition de grand-mère
sur le seuil, évoquant encore le Cou que li
du coq, par la crête blanche et noire de ses
cheveux hérissés sur le sommet du front.

Quel refuge, dans la chambre de Grand-
Mère Antoinette, pour les jeunes garçons qui
dormaient pêle-mêle avec le chat et le chien
(et, quelquefois, un mouton que grand-mère
sauvait de la nuit froide), les uns laissant dépasser une jambe rouge entre les barreaux du
lit, les autres, leurs pattes calmement allongées sur le plancher tiède, semblaient dormir
d'un sommeil indifférent, incorruptible, mais
trahissant jusque dans le sommeil, par un frémissement léger de la queue, le remuement
ténu d'une oreille, l'inquiète curiosité de leur
nature. Emmanuel et Grand-Mère Antoinette
continuaient leur conversation de la veille.
Grand-Mère Antoinette parlait beaucoup à
l'aube. Emmanuel se blottissait contre elle
pour avoir plus chaud.

— Voyons, disait-elle, où en étais-je donc ?

Ah! toi, bien sûr, tu ne m'écoutes pas, tu ne penses qu'à toi...

Emmanuel n'avait plus froid, mais il commençait à avoir faim. C'était toujours ainsi lorsque sa grand-mère lui racontait une histoire. Il se souvenait soudain qu'il avait faim, terriblement faim. Dans une caresse coutumière, Grand-Mère Antoinette ramassait en boule les deux pieds d'Emmanuel pour les tenir dans une seule main, comme des œufs dans un seul nid, en leur disant d'être sage « et de cesser de bouger comme une petite peste ».

Alors, Grand-Mère Antoinette parlait de ses malheurs :

— Des mauvaises nouvelles, Emmanuel, de bien mauvaises nouvelles pour nous, je ne sais pas ce que nous allons devenir.

Mais lui aimait bien les mauvaises nouvelles. Comme ses frères, il aimerait les tempêtes, les ouragans, les naufrages et les enterrements. Lui parlerait-elle d'Héloïse aujourd'hui, ou de Pomme qui venait de se couper trois doigts de la main gauche à la manufacture, ou bien du Septième maltraité par l'oncle Armandin Laframboise, à sa pension, à la ville :

— Ça va mal, pour nous, Emmanuel, bien mal...

Mais elle disait aussi que tout allait bien puisque le Septième envoyait son salaire chaque semaine, à la maison, que Pomme était en sécurité à l'hôpital, qu'Héloïse gagnait mira-

culeusement beaucoup d'argent — à l'*Auberge
de la Rose Publique*, et que son cher bon voisin Horace se portait mieux malgré le pus qui
gonflait ses joues, et le voile ténébreux qui
tombait lentement sur ses paupières...

— Oui, tout pourrait aller plus mal...

A l'hôpital ils vont peut-être lui recoudre
les doigts, qui sait ? Ça lui apprendra à ne pas
glisser ses mains partout, pour voler! Horace
en a vu bien d'autres, il en sortira, aveugle
ou pas aveugle, ça ne l'empêche pas de res-
pirer! Et Héloïse, ça lui fera du bien de voir
beaucoup de gens, elle qui ne sortait jamais
de sa chambre, autrefois...

Tu le connais, ton oncle Armandin Laframboise ? Il a douze garçons, douze diables.
Une fessée par jour. Ils sont bien élevés. Malheureusement, pas assez d'instruction! ça vaut
la peine d'aller vivre en ville, hein — il n'y en
a pas un d'intelligent. Ce n'est pas comme chez
nous. Léopold, ça c'était rusé comme un renard, et Jean Le Maigre, intelligent à vous faire
peur! Si tu l'avais vu écrire des poèmes en latin sur mes genoux, si intelligent qu'il me faisait rougir avec ses questions! Il voulait tout
savoir, le pauvre enfant. Il en est mort. Son
père l'a trop battu. Toi aussi tu seras battu si
tu poses des questions. Vaut mieux te taire et
aller couper du bois comme les autres. Oui,
c'est la meilleure façon. Héloïse, a dit M. le
Curé, elle aussi avait des dons. Je ne sais pas
ce qu'elle en a fait. A six ans elle pouvait bro-

der (malheureusement nous n'avions pas de
fil dans la maison). Mlle l'Institutrice a dit
qu'elle avait du talent pour le dessin. Elle des-
sinait tout le jour sur le tableau de l'école.
Mais les douze garçons d'Armandin Laframboise ton oncle (quatorze avec le Septième et
Pomme qui habitent chez lui maintenant),
eux, ce sont des vauriens, ile ne savent rien
faire! A douze ans, finie l'école, la belle instruction!

Ah! chaque matin, ça part pour l'usine,
la manufacture, la boulangerie, ou je ne sais
quoi... C'est tout petit et ça va se faire couper les doigts dans une manufacture de souliers ou s'empoisonner les poumons dans une
manufacture de tabac. Mon Dieu, pardonnez-
nous nos offenses! Je l'ai dit à ton père, j'ai
essayé de lui faire comprendre : « A onze
ans, Pomme est trop jeune pour aller travail-
ler à la ville. Je veux le garder avec moi. Il
me sera utile, il ira aider M. le Curé, le samedi, à la sacristie... »

Ton père, têtu comme un taureau, naïf
comme un poisson! Il chasse ses enfants dès
qu'ils ne se nourrissent pas tout seuls comme
des hommes. Je me demande bien ce qu'il va
devenir sans ses trois doigts. Il paraît qu'il
est tout maigre et qu'on ne le fait pas manger
à l'hôpital. Ton oncle Armandin Laframboise
m'écrit tout cela sans un soupir! Un homme
qui n'a pas de cœur — comme ton père. Et avec
des fautes d'orthographe en plus :

A l'aupital le plus petite des deux
Il a mis ses doigts dans la mache, mach-ine
Pas perdu la main
3 doigts seulement

Armandin Laframboise

Veux de bon santé
Pour l'année nouvelle

— Quelle machine ? On se le demande. Une chose coupante, c'est sûr. Le Septième, lui, ne pense qu'à ses veaux, ses vaches, et ses cochons, lui qui n'a jamais voulu mettre le pied dans l'étable quand il était ici.

Et la vache Clémentine, grand-maman,
Et le petit veau grand-maman
Avec des taches ou sans taches
Et le cochon Marthuroulou quelle couleur
Grand-maman

— Connais pas toutes ces bêtes, dit Grand-Mère Antoinette à Emmanuel. Pas le temps de baptiser tout le monde. Mais je n'aime pas trop l'histoire des doigts coupés, ça me déplaît, hein ! D'abord qu'est-ce qu'ils ont fait avec ses doigts, à l'hôpital ? (Elle vit alors sur un plateau d'argent, comme la tête de Jean-Baptiste, la main exilée du corps de Pomme, ronde et calme, fraîche comme une poire au soleil) et l'oncle Armandin Laframboise a écrit qu'ils l'ont fait attendre deux heures à l'hôpital, avant de s'occuper de lui.

Comme je n'avais pas d'argent
Son sang coulait en attendant
Ma femme est arrivée avec l'argent
On l'a mis sur la table d'opération
Nous ne l'avons pas revu depuis
Comme je te l'ai toujours dit Antoinette
l'argent c'est nécessaire
Pour les grandes circonstances de la vie
Les accidents
                              les enterrements
C'est ben nécessaire
C'était peut-être pas une table d'opération,
C'était une table en tout cas
Laisse donc ta ferme Antoinette
Et tes champs qui ne produisent rien
Viens donc vivre ici, Antoinette
Ma femme est enceinte depuis le mois de juin
Nous sommes à deux pas de l'usine
Les trains passent à côté de chez nous
Beaucoup de fumée Antoinette
Viens donc vivre avec nous!

Mais, pensait Emmanuel, somnolent sur la poitrine de sa grand-mère, je commence à avoir faim.

— Et Héloïse, elle ne va plus à la messe. Elle n'a plus le temps, écrit-elle. Elle ne va plus communier le dimanche, il fait trop froid, dit-elle. Elle dit qu'il y a un téléphone à l'auberge. Et l'électricité. Ah! ce n'est pas comme ici. La vie à l'étranger est bien appréciable, bien sûr, Emmanuel, mais malgré tout on

est bien ici, le soir, avec notre lampe à l'huile.
Ton père ne veut pas l'électricité, et il a raison. Moi aussi je suis contre le progrès. Et
toi, Emmanuel, qu'est-ce que tu en penses,
hein ?

Elle se leva enfin. Au froissement de sa chemise de nuit, au bruit de ses pas dans l'escalier, se réveillaient doucement, dans un brouillard de cheveux sur le visage et de bras qui
s'étirent, les jeunes garçons à la jambe nue, et
avec eux, le chat, le chien, soudain impatients
de courir dehors, la queue battante, les oreilles droites, ouvrant de larges yeux encore
noyés dans la buée cireuse de leur sommeil.

CHAPITRE VII

Héloïse avait une correspondance régulière avec les marchands de la ville, les médecins, les notaires — et les étudiants. Héloïse rangeait dans la catégorie des étudiants (qu'ils le soient ou non, peu importe, si elle les voyait une seule fois avec un livre sous le bras, elle choisissait aussitôt pour eux cette phrase à résonance magique : « Est-ce que Monsieur est étudiant ? » Souvent Monsieur répondait qu'il vendait de la salade sur la place du marché, mais elle n'y faisait pas attention; indulgente, elle lui accordait spontanément le titre d'étudiant), Héloïse rangeait donc dans cette catégorie les garçons aux joues rougissantes et à l'éloquence rude qui la visitaient après six heures, le soir. Il y avait aussi la catégorie des Vieux, celle des Gros, et même une certaine catégorie qui n'échappait pas au mépris de la jeune fille (mépris douloureux qui pouvait être celui qu'elle éprouvait envers sa propre famille), la catégorie des Pauvres. Héloïse appelait les pauvres ceux qui n'avaient rien à lui offrir, et à qui elle devait glisser

une tranche d'oignon et un morceau de pain
dans la poche de leur chemise.

Si Mme Octavie Enbonpoint avait su, elle
qui était si économe, certes aussi économe et
prudente que la Supérieure du couvent, comp-
tant les sous, écrivant chaque soir les dépenses
dans son cahier, craignant la famine pour
ses enfants, couvant comme une poule dominatrice toute cette famille éparse qui lui donnait tant de soucis! Héloïse accueillait chacun
des soupirs de Mme Octavie avec admiration.
Comme un navire écarte les vagues, Mme Octavie écartait de ses bras majestueux, de ses
épaules puissantes, les énormes difficultés qui
surgissaient chaque jour dans sa maison.

— Voilà, j'arrive! Qu'est-ce qui se passe
ici ? Je ne veux pas qu'on les batte, vous en-
tendez ? Elles sont ici à l'abri, l'Auberge de
la Rose doit garder sa bonne réputation. Pas
d'ivrognes ici! On peut boire à la sortie. Par
ici, monsieur. Sois une bonne fille, Gisèle,
monsieur est gentil, monsieur ne peut pas te
faire de mal. Monte et descends l'escalier,
mais mon cœur est malade, moi ! Est-ce que
vous le savez ! Je ne peux pas dormir comme
tout le monde, dans un lit. Non, je dois
dormir dans une chaise. Assise. Quelle vie !
Et toute la journée, je marche, je cours, je
vole, on me demande partout, on a besoin de
moi à chaque étage, trop d'escaliers, je vous le
dis. Trop de chambres. Je n'en peux plus, vous
êtes témoin, j'étouffe!

Mais, pensait Héloïse, en jouant avec une mèche de cheveux sur son front, Mme Octavie aime trop le vin, elle mange trop de fromage. Mère Supérieure aimait bien le fromage, elle aussi. Mais elle n'en mangeait jamais pendant le carême. Peut-être que Mme Octavie devrait jeûner elle aussi, faire pénitence comme Mère Supérieure.

— Je n'ai pas besoin de vos conseils, répondait Mme Octavie, j'ai trois fois votre âge. Pensez à cela. On va me trouver morte un bon matin, au pied de l'escalier. Et ne faites pas venir le prêtre, s'il vous plaît. Même si je vous le demande à genoux, ne le faites pas venir. Je ne lui pardonnerai jamais ce qu'il m'a dit du haut de la chaire, cet abbé Moisan, si vous saviez de quel mot honteux il a qualifié mon commerce! Moi qui ai tant travaillé, moi qui ai fait mon devoir chaque jour. Enfin, j'ai bien mes défauts, moi aussi, comme tout le monde.

Héloïse écrivait presque quotidiennement à sa grand-mère, lui rappelant qu'elle était cuisinière et bien payée, *bien vêtue et logée, tout cela gratuitement, chère grand-mère* — veuillez donc accepter ma contribution généreuse pour les frais d'hôpital de mon frère l'accidenté pour qui vous me voyez verser des larmes de désolation et de sympathie. Dieu nous a toujours beaucoup éprouvés, chère grand-mère, courage, je veille sur vous... Je vois beaucoup de gens, grand-mère, le jour et

la nuit et à toute heure enfin je me sens utile
et Mme Octavie Enbonpoint ma patronne,
ma dévouée maîtresse, me prie de vous dire
qu'elle est très fière de moi; je suis sous sa
complète surveillance obéissance, aussi ne
soyez pas inquiète, ma chère grand-mère, si
je ne vais plus à la messe... Cher monsieur le
Notaire, votre visite m'a fait grand plaisir, votre absence me tue, vous avez oublié votre
chapeau, vos gants...

— Reprenons cette phrase, disait Mme Octavie, le visage enflammé par la gourmandise
(car de la cuisine montait l'odeur de veau rôti
et de champignons). Cher Monsieur le Notaire, en un mot je vous aime... je...

Héloïse rêvait, la plume en l'air, le front
pensif. Mme Octavie avait été si bonne pour
elle! La veille de son départ, Héloïse avait
encerclé de rouge cette invitation au travail
de Mme Octavie, publiée dans le journal du
canton :

> — *Bon traitement. Jeune fille deman-*
> *dée 18 à 20 ans bonne à tout faire.*
> *Octavie Enbonpoint, Auberge de la Rose*
> *Publique, 3, rue de la Bonne-Fortune,*
> *Paroisse Saint-Marc-du-Dégel.*

Il y avait aussi quelques autres annonces,
telles :

> — *Jeune personne responsable deman-*
> *dée pour vieillard ayant perdu la raison,*

beau paysage, salaire une fois par mois,
Rang-Saint-Pit, route n° 8 (suivre l'allée
de sapins, tourner à droite).

Ou bien :

    — Aurais besoin d'une infirmière de
grandeur moyenne yeux bleus. Une per-
sonne seule souffrant d'amnésie. Route
n° 2, cabane de bois blanc.
    — Pour garder enfants de 1 à 8 ans
et animaux également en bas âge. Femme
50 ans au moins. Un veuf impatient.

A toutes ces demandes, Héloïse n'avait su
laquelle choisir. Il y avait donc tant de gens,
pensait-elle, les larmes aux yeux, il y avait
donc tant d'inconnus qui avaient besoin d'elle ?
Tout de suite, elle avait pensé secourir le
vieillard du Rang-Saint-Pit, le veuf entouré
d'enfants, à chacune de ces plaintes qui mon-
taient des *Annonces classées* du samedi, journal d'ailleurs intitulé *Le Tour du Monde en
une heure* — que M. le Curé remettait à Grand-
Mère Antoinette le samedi, bien qu'il lui par-
vienne trois mois en retard — mais Grand-
Mère Antoinette ne faisait aucune attention à
la date, elle lisait la température du printemps
en hiver, parcourait les mariages au moment
où l'un des époux avait été enterré, la nouvelle affreuse d'un tremblement de terre ou
d'un incendie important lui parvenait toujours
au moment où la terre avait depuis longtemps

cessé de trembler, et où tous avaient oublié
les cent morts engloutis en une minute qui,
quelques mois plus tôt, avaient eu un certain
retentissement grâce à leur sonore disparition,
elle pleurait sur cet incendie meurtrier qui
avait détruit des villages entiers, emporté des
hommes, femmes et enfants, qu'elle n'aurait
jamais eu l'occasion de voir, ne sortant que
pour aller à l'église... Elle priait pour les mi-
neurs ensevelis des endroits les plus reculés
de la terre, et lorsqu'on parlait du dangereux
climat torride qui brûlait l'herbe et flétris-
sait la récolte de tel ou tel pays lointain, ce
n'est pas sans nostalgie ni regret, que les
mains rugueuses de froid, elle tournait vers la
fenêtre (et vers la colline toujours blanche
de neige, la route immobile sous les arbres,
le ciel pâle, le ciel inchangeable de sa desti-
née) un regard déçu par l'hiver et la monoto-
nie du froid). Ainsi, à chacune de ces détres-
ses qui s'offraient à elle, Héloïse ouvrait les
bras, avide de bercer tous les malheureux
sur son sein. La colonne des Objets égarés et
des Enfants perdus la remplissait de pitié.

> *Enfant de huit à dix ans*
> *Yeux noirs sans cheveux*
> *Voleur de grand chemin*
> *Depuis un mois*
> *N'a pas été aperçu par sa mère*
> *Prière de le remettre au propriétaire*
> *Punition suivra*

Une jeune fille a quitté la maison
Un soir après souper
Cheveux blonds, cicatrice sur la jambe
etc...

Sérieuse et sans humour, Héloïse ne s'attardait pas à lire les bandes comiques. A peine le journal entrait-il à la maison, que les frères aînés et leur père se jetaient sur les *Mauvaises mœurs illustrées,* s'acharnant à comprendre quelque chose toute la matinée du dimanche sur le perron de l'église, la pipe au bec, les cheveux au vent. Non. Héloïse ne se permettait de lire que les *Colonnes du cœur —
la Chronique du cœur, les Secrets du cœur,
les Confessions du cœur abandonné* — que sa grand-mère avait soigneusement rassemblées pour elle (enveloppant de cette feuille miraculeuse du journal le pain et le jambon qu'elle montait à sa petite-fille, pendant sa période de jeûne) chaque samedi...

Quelle douceur, pour Héloïse, de retrouver dans le grand journal, ces « cœurs trahis », ces « cœurs sauvagement meurtris » qui ressemblaient tant au sien — mais que faire, mon Dieu, pour la jeune fille du rang n° 10

Qui avait eu un enfant
De père inconnu

et pour l'adolescente Victoline Dubois

Qui avait du poil au menton
Et qui pour cette raison

Avait perdu son fiancé
Je veux madame une bonne recette
Pour attirer les garçons.

Enfin, Mme Octavie Enbonpoint avait plu
à Héloïse pour la solidité de son nom. Et un
matin, Héloïse commençait sa nouvelle vie à
Saint-Marc-du-Dégel, village heureusement
plus peuplé que son village natal. Il y avait
au moins une église de plus, pensa-t-elle, lorsqu'elle vit poindre un clocher rose dans le
ciel, et puis un Magasin Général où l'on vendait parmi les souliers, les bas de soie et les
corsets, des poules (vivantes, mais que l'on
tuait sous vos yeux si vous en aviez le désir), du chocolat, des pastilles pour le mal de
gorge, de l'avoine, et mille choses qui, pour Héloïse, annonçaient la prospérité du village —
allant des costumes pour hommes *taille*
moyenne aux *bas pour dames*, en passant par
les *instruments de ferme et couvertures pour*
les chevaux. Et du Magasin Général, on apercevait, dans toute la joyeuse franchise de son
nom

L'AUBERGE DE LA ROSE PUBLIQUE
Dîner jour et nuit, thé, café.
Pas de bière le dimanche

Quelle chance pour Héloïse qui allait être
accueillie à bras ouverts par Mme Octavie s'é-
criant : « Mais venez donc, mon enfant, je
vous attendais! »

Mais pendant que Mme Octavie comblait Héloïse de souliers, de robes et de corsets (Oh! mon Dieu, quelle maigreur, enlevez-moi ça!), la jeune fille avoua en rougissant qu'elle ne savait faire que de la soupe — de la soupe aux pois, et à tout ce que vous voudrez, mais rien d'autre, madame Octavie, puisque j'ai passé ma jeunesse au couvent, dans la prière et le recueillement, madame Octavie. Mme Octavie déclara en secouant sa large poitrine recouverte de bijoux (Héloïse était si timide qu'elle n'avait pas encore levé les yeux sur la directrice de l'auberge, dans la crainte de l'avoir déçue à la première approche...) que la prière n'était pas une chose nécessaire, dans sa maison, la cuisine non plus.

Elle dit ouvertement, inutilement d'ailleurs, puisque la jeune fille ne comprit rien dans sa pudeur :

— Je ne sais pas si vous l'avez remarqué, mais vous êtes dans un bordel, mon enfant, il est encore temps de retourner au couvent, si vous en avez envie. Ici, ce n'est pas un endroit pour les jeunes filles.

» Mais vous aurez de l'eau chaude, dans votre chambre, dit Mme Octavie sans attendre la réponse d'Héloïse — et vous aurez votre tour pour la baignoire. Chaque samedi. Vous n'avez pas besoin de clef pour votre chambre. Je surveille de très près mes pensionnaires. Rien ne peut vous arriver. Ah! j'avais oublié de vous dire, mon cœur est en

très mauvais état. Oui, je suis condamnée. Enfin, c'est ce qu'on dit. N'oubliez pas de me
réveiller lorsque je perds connaissance. Cela
m'arrive quand j'ai trop mangé.

Ramenée au couvent, par une inspiration
encore trop sensible au passé, Héloïse songeait
à enlever les photographies lascives qui recou-
vraient les murs de sa chambre. Héloïse aux
yeux baissés ne distinguait de ces nudités ac-
croupies, de ces baigneuses au clair de lune,
offrant dans la quiétude de leurs mains blan-
ches, comme une paire d'agneaux dans leur retraite neigeuse, d'immenses seins blancs victimes eux aussi de leur blancheur, sur les-
quels pendaient, comme la chevelure inviolée
des madones, de lourdes tresses d'or, intac-
tes, symboles elles aussi d'une innocence sur
le point de se perdre, d'une beauté qui va bientôt se consacrer à l'orgie : Héloïse n'apercevait
de cette féerie dépravée que le pied chaste
d'une jeune fille foulant une mare de crapauds,
comme sur d'autres images, elle avait vu une
Vierge fouler la tête du serpent maléfique —
mais alertée par quelque vapeur charnelle
qui montait de la présence de Mme Octavie à
ses côtés, elle eut le sentiment qu'il vaudrait
mieux remplacer ces images par le crucifix de
son ancienne cellule — ce qu'elle fit plus
tard, à la surprise horrifiée de Mme Octavie
qui laissa le crucifix à sa place, mais colla à
nouveau sur le mur ces images qu'elle jugeait
nécessaires à l'appétit de ses clients.

Mme Octavie croyait ainsi jeter l'ancre dans
une nouvelle mer de luxure, dirigeant ses voyageurs vers une houle mystérieusement spas-
modique, et travaillait sans scrupules à créer
une agréable atmosphère au refuge de ses
amours.

Dans sa candeur désolante, Héloïse disait
ses prières chaque soir, et comme l'avait fait
sa mère, implorant Dieu pour éloigner ses
peurs, peut-être, avant et après l'amour, l'a-
mant étranger, le beau vagabond venu chez
elle pour une seule nuit, entendrait-il, sans le
comprendre, ces *Pater Noster* hésitants qu'elle
dirait, les lèvres serrées sur son secret. Peut-
être, demanderait-il, ouvrant les yeux sur la
frileuse caresse d'une main d'enfant : « Que
me disais-tu donc pendant que je dormais ? »

Peut-être répondrait-elle doucement : « Je
crois que je te disais que je t'aime. » Car en
peu de temps, ne cessant de comparer sa vie
à l'Auberge avec le bien-être de la vie au couvent, glissant d'une satisfaction à l'autre,
comme on s'évanouit de plaisir ou de douleur dans les rêves, se disant que la nuit est
sûre, que l'on ne peut pas tomber plus bas
que le rêve — que celui qui vous ensanglante
dans un lit, que celui qui vous décapite et
que vous voyez pourtant s'enfuir avec votre
tête souriante sous son bras, sera bientôt le
même à qui vous accorderez le pardon, sans
un mot, d'un geste vague du bras, de cette
main à la dérive que vous laisserez tomber

vers lui, ou simplement pour qui le geste d'expirer, de disparaître en silence, est déjà le signe mémorable que le rêve va bientôt finir, et
qu'une étrange dignité vous commande de
mourir vite une seconde fois avant que ne
revienne le prince sanguinaire qui vous a trop
fait languir... Voguant d'un corps heureux à
un corps triste, d'un amoureux aux âpres
bontés à une autre qu'elle croyait aimer au
soleil, sur le sable chaud (mais la chambre,
pourtant, devenait de plus en plus étroite,
les murs de plus en plus rapprochés). Héloïse découvrait la troublante harmonie d'un
désir apaisé, tandis que s'épousaient en elle
les bonheurs qu'elle avait eus dans le passé
(Héloïse avait les bras chargés de roses, elle
courait dans le jardin des novices, d'une
fenêtre lumineuse ouverte sur les pommiers,
les jeunes religieuses chantaient pendant la
récréation... L'une d'elles jouait du piano, ses
mains s'attardaient sur des notes fondantes,
légères, rattachées les unes aux autres par un
fil mince comme celui de la pluie) et que son
imagination rafraîchie lui révélait ceux de
l'avenir. (Sous le brûlant soleil de l'été,
elle allait en chantant sur la route, auprès de
camarades vêtues de robes claires et de chapeaux de paille — ou bien elles sautaient
toutes ensemble, comme dans un gâteau gi-
gantesque et parfumé — dans une montagne
de foin rebondissante de la charrette que conduisait un fermier insouciant, la face brûlée

par le soleil, tenant la bride de son cheval,
d'une main paresseuse...) Ardente, impérissa-
ble dans ses passions, Héloïse faisait honneur
à Mme Octavie, qui, bien qu'elle eût dit avec
orgueil qu'elle ne voulait pas d'Enfants de Marie dans sa maison, n'avait presque exclusive-
ment que de cela, variant de la petite fille
boudeuse qui jouait encore à la poupée lorsque le client était parti (qu'elle avait d'ailleurs
recueillie dans la rue et mise sous sa charita-
ble autorité en attendant...) à la jeune fille entre quinze et dix-sept ans, de profil campa-
gnard, venue à la ville avec les meilleures
intentions du monde « pour trouver un emploi : Madame, je peux laver la vaisselle, soigner les porcs... » De celles qui venaient
juste « pour un instant, madame, pour demander un conseil — quelle robe dois-je
porter pour le mariage de ma sœur ? »
« Passez donc dans le boudoir, mon enfant,
nous pourrons bavarder en paix. Pas ici, il
y a trop de monde. » Mme Octavie n'attendait aucune qualité particulière de ses enfants, ni beauté, ni élégance, c'était l'un de ses
principes sacrés qu'elle devait accueillir chez
elle les infortunées, comme les autres. Voilà
pourquoi elle disait avoir une bonne réputation, malgré tout, et ne pas mériter ce dédain bouffi que lui servait l'abbé Moisan du
haut de la chaire dans le temps de Pâques
ou dès qu'il en avait l'occasion.

— Des orphelines, des bâtardes, des infir-

mes, je les ai sorties des poubelles. monsieur
l'Abbé, ma charge est aussi grande que la
vôtre, vous n'allez pas encore me contredire
là-dessus...

Mais depuis que l'abbé Moisan avait jeté
en public une malédiction sur *l'infâme commerce* de Mme Octavie, celui-ci, comme un
arbre abandonne ses meilleurs fruits sous le
coup d'un vent vigoureux, n'avait fait que dé-
verser une manne plus abondante sur la tête
de Mme Octavie — ce qu'elle croyait bien mériter après tous ses efforts. A part à l'église
où il lui était défendu de mettre les pieds,
Mme Octavie était bien accueillie partout.
Tout le monde la plaignait pour son cœur
malade (« un bien grand cœur, en vérité,
elle m'a secourue de mon mari »). Le maire
la saluait en enlevant son chapeau, le docteur
lui disait *Mes respects, madame,* et vite tra-
versait la rue pour ne pas être aperçu par
l'un de ses patients — le dentiste lui était re-
connaissant d'avoir mené jusqu'à son bu-
reau désert, ces petites jeunes filles à qui il
arrachait des dents prématurément mortes
pour en poser des nouvelles, dont le sourire
paralysé brillait dans toute la ville — témoi-
gnant de la blancheur de son œuvre avec ama-
bilité —, les jeunes gens eux-mêmes qui
avaient l'habitude d'aller se confesser à chaque vendredi, suivaient Mme Octavie sur la
rue, et flairaient sans gêne l'appétissante
rafale de ses jupes empesées, suivant le sil-

lage voluptueux de Mme Octavie, du magasin
général à la banque, de la banque au marché...

Les soirs d'été, fumant sur son presbytère,
l'abbé Moisan suivait tout ce manège, d'un
air renfrogné, se promettant de punir plus encore dans ses sermons, la prochaine fois, cette
femme damnée qui se frayait un chemin auto-
ritaire parmi les hommes et les jeunes garçons, les épaules droites, et le cœur illuminé
par son importance — provocante, pensait
l'abbé Moisan, au point de précipiter un saint
homme en enfer, juste à lever le petit doigt...

Héloïse écrivait au notaire qu'elle était en
parfaite santé, que M. le Notaire n'aurait plus
de raison de se plaindre puisque M. le Dentiste avait remplacé toutes ses dents. (Ne craignez rien, monsieur, je n'ai pas souffert.
Mme Octavie vous envoie ses salutations sin-
cères.) Et quelques jours plus tard, le notaire Laruche attendait au salon, assis sur le
bord de sa chaise, parmi les demoiselles, assi-
ses, elles aussi, sur le bord de leur chaise,
la jupe soigneusement relevée sur les genoux,
comme leur avait appris Madame, pendant la
période d'initiation, mais serrant leurs cuisses
l'une contre l'autre, dans un brusque élan de
modestie propre à l'enfance. (Bien sûr le notaire Laruche avait l'œil trop vif pour ne pas
saisir d'un clignement de sa lourde paupière
l'éclair vermeil d'un pantalon s'unissant à
la fraîcheur d'une cuisse délicatement re-

muée.) Auprès de lui, était assise également
ment Mme Octavie à qui il arrivait d'emprun-
ter la rutilante dignité des fauves, vêtue d'un
jaune éclatant comme le soleil de la tête aux
pieds, écoutant s'échapper de sa poitrine dra-
pée d'or des soupirs de lionne et gardant re-
pliée contre sa hanche la belle main féroce
qu'elle avait l'intention d'abattre à un moment
ou l'autre sur le cou de l'une de ses gazelles
effrayées — chasseresse mais non meurtrière,
laissant à M. le Notaire (ici, on paie d'avance,
cher monsieur...) le soin de faire la morsure
lui-même. Les demoiselles, respectueuses,
oubliant la vague puanteur de tabac qui
régnait autour du notaire, respiraient l'odieuse
fumée de ses cigares avec discrétion, ne sour-
cillant pas de dégoût lorsqu'il en crachait des
morceaux par terre. (Vous êtes chez vous, disait Mme Octavie en haussant les épaules
— ce qui ne l'empêchait pas de penser sous
son front impassible : « Quel cochon tout
de même! ») Les demoiselles souriaient un
vaillant sourire de leurs bouches massacrées
par leur fraîche visite chez le dentiste, M. Si-
lex. Des lis! disait M. le Notaire. Ecloses
comme des lis et prêtes à être cueillies!

Mais laquelle choisir ? (Mlle Héloïse aimerait bien recevoir votre visite, elle a un peu
mal à la tête, elle repose sur son lit, en attendant...). Je n'ai pas beaucoup de temps, je ne
suis venu que pour vous dire bonjour,
madame Octavie, disait le notaire, en regar-

dant sa montre (de son gilet boutonné, recou-
vert d'une courte veste de velours, M. le Notaire tirait l'imposante montre dont la chaîne
d'argent faisait rêver les petites filles aux cheveux plaqués d'onguent et de fleurs fanées).
Voyons, quelle heure est-il ? Je ne dois pas
oublier ma visite chez le maire, à midi, les
Pompes Funèbres à 1 heure, et ma femme...
Et de son œil toujours alerte, M. le Notaire
parcourait son azur lubrique. Sages planètes,
les jeunes filles attendaient la décision de M. le
Notaire, sans bouger, les mains sur les genoux. Des murs au plafond, grâce aux nym-
phes et aux vierges qui semblaient sortir de la
tapisserie pour courir toutes nues vers la débauche affolée de M. le Notaire, le vieillard
respirait abondamment le parfum de ses as-
tres, les pieds dans ses pantoufles. (Vous êtes
chez vous, monsieur le Notaire, vous êtes
chez vous...) et de ses doigts potelés jouait déjà
avec la forme de la lune.

— Héloïse, s'écriait soudain le notaire Laruche, allons pour Héloïse!

Et à la délivrance des jeunes filles assou-
pies dans la fumée du salon, M. le Notaire
se traînait péniblement vers l'escalier, avec
Mme Octavie qui l'aidait à monter les marches,
soupirant toujours : Ah ! Monsieur le Notaire,
comme on vieillit!

Le notaire enlevait sa montre, mais il refusait d'enlever sa veste de velours. M. le Notaire avait l'habitude de fumer un cigare au

lit, ce qui ne plaisait pas toujours à Héloïse.
Parfois, il montait dans le lit avec ses pantoufles, ce qu'Héloïse n'approuvait pas non
plus, bien qu'elle eût trop de délicatesse pour
le mentionner.

M. le Notaire avait à peine commencé à dé-
vêtir Héloïse qu'il perdait le souffle — il le
perdait de plus en plus à l'approche des ré-
cifs, et Héloïse n'entendait plus que des cla-
potements lointains à mesure que se poursuivait son aventure — quelle humiliation si
M. le Notaire ne remontait plus à la surface
de cette rivière boueuse, il faudrait appeler
Mme Octavie, et qui encore... Ah! Comme elle
avait mal aux dents, tout à coup sa mâchoire
ouverte, cousue et recousue, et la denture de
pierre enfoncée dans ses gencives encore sai-
gnantes... Et sans se soucier d'elle, M. le Notaire conduisait ses équipages, emprisonnait la
bouche de la jeune fille de ses lèvres mous-
seuses de tabac et de sueur, et glissait une
main indiscrète sous les plis fragiles de l'ais-
selle (la jeune fille se plaignait si doucement
que le vieillard ne l'entendait pas, aïe, monsieur le Notaire, aïe...) car, toujours inclinée
vers la compassion elle voyait en l'homme qui
piétinait sa jeunesse, sans égard pour la misère de son corps et la solitude de son désir,
l'enfant, le gros enfant des premiers appétits,
suspendu à son sein, exploitant sous toutes
sortes de gestes et d'emportements — dont
les uns ne semblaient pas plus ignobles que

les autres à partir d'une certaine étape de délire — la soif, la grande soif du premier jour, malheureusement inassouvie, et qui faisait que l'homme venu pour goûter la caresse d'une amante désirait en même temps celle d'une mère capable de le corrompre. Rejetée sur un rivage stérile par le notaire Laruche (debout dans la lumière de midi, le ventre proéminent sous son caleçon de laine, sa montre sur la table de nuit, son cigare à la bouche, le bonhomme se félicitait d'avoir pu terminer les choses sans trop prendre de temps, ainsi frais et dispos du bordel, il pouvait aller visiter le maire, le curé...)

Héloïse songeait sans trop de dégoût à ce qui venait de se passer. Après le notaire viendraient les garçons évadés de l'école pour une heure, et se bousculant en attendant leur tour dans l'escalier, à qui Héloïse ne ferait qu'offrir des bonbons tout en leur tenant la main avec une complice tendresse pour une curiosité qu'elle refusait de satisfaire elle-même, jugeant trop candides ces voyous à la prunelle claire qui lui rappelaient Jean Le Maigre ou le Septième qu'elle avait dû répudier de sa chambre, parfois, lorsque dans la chute livide de l'aube, ils la surprenaient, endormant son misérable sexe d'une caresse née d'elle-même, berçant ainsi, dans une triste douceur un amoureux ou une amoureuse (ou quelque créature imprécise, secourable, de l'imagination blessée) dont elle se plaisait à oublier le visage,

secrètement hantée par une main sombre ap-
partenant à un corps invisible. De la chambre
voisine, Marthe la petite bossue, Gisèle, l'or-
pheline, ne manqueraient pas d'ouvrir leur
porte aux garçons déçus, disant comme à ces
Jean Le Maigre et à ces Septième qu'elles
avaient accueillis sur leurs genoux autrefois,
dans la cour de l'école (« Si tu me chatouilles
encore, je le dirai à Mlle Lorgnette » et après
un moment de réflexion : « Recommence donc,
s'il te plaît, c'est si amusant, personne ne nous
voit. ») Mais croyaient-elles, elles avaient beaucoup grandi depuis l'école, ah! il y avait longtemps de cela — Ah! s'écriaient-elles sur
le seuil, les lèvres souillées de rouge, légères
comme des écureuils sur le bout de leurs frêles pattes, *venez donc jouer avec nous,*
Mme Octavie est en bas, viens donc jouer avec
moi, personne ne nous voit...

Et vite les garçons disparaissaient dans la
chambre, pour une matinée de chuchotements
et de frissons auprès de moqueuses maîtresses
qui ne rêvaient que de leur tirer les cheveux
et d'imiter leurs grimaces dans le miroir, s'oubliant jusqu'à ce que Mme Octavie inter-
vienne dans leurs jeux avec indignation, récla-
mant que l'on paie sans plus tarder la dette
de la dernière fois (vingt sous pour une heure
ou rien) et disant aux petites filles, comme
l'eût fait Mlle Lorgnette ou Mme Casimir ap-
paraissant avec sa baguette sur le perron de
l'école : « Allez, la récréation est finie. »

★

Abattu sur son lit d'hôpital, parmi les indigents, les accidentés du matin, trop pauvres pour avoir une chambre à soi, pour mourir en paix — les ivrognes de la veille, victimes des crises diverses du désespoir, délire, folie ou hystérie, Pomme venait de tomber du nid, et comme l'oiseau déserteur et trop fragile pour le vol, il regardait ses ailes éparses à ses côtés, frémissant à peine, dans la crainte de réveiller à nouveau la blessure qui pendait encore, lui semblait-il, au bout de sa main lourde sous les pansements, au sommet écorché de chacun de ses doigts disparus. Il pleurait en silence, le nez rougi par le rhume, des sillons de larmes coulant de ses narines, trop déprimé pour se servir du mouchoir à pois de l'oncle Armandin qu'il tenait dans sa main valide avec un air de partir en voyage, et de dire un adieu pathétique, sans bouger de son lit. Les ivrognes se lamentaient dans les lits voisins, une accidentée fraîchement tombée du toit de sa maison, râlait des injures à son mari absent. Pomme, à n'en pas douter, était en enfer. Les minutes s'écoulaient avec une lenteur infinie; torturé par un bourreau invisible, Pomme souffrait, souffrait, avec moins de courage que ne l'eût fait son frère Jean Le Maigre sur son lit d'agonie, mais avec la patience qu'aurait eue sa mère en accouchant un de ses enfants.

Il appelait sa grand-mère, son père, sa mère, toute sa famille ensevelie sous les neiges, au loin — il les nommait tout bas, les uns après les autres, Anita, Aurélia, Roberta, Héloïse, oh ! Héloïse, il chantait doucement son désespoir, la tête au creux de l'oreiller, ses mains sur les draps, comme celles d'une momie. Et pendant ce temps, chez lui, repu après un bon repas, l'oncle Armandin Laframboise jouait aux cartes avec sa forte épouse, séparée de lui par un paravent de casseroles qui traînaient encore sur la table, murmurant avec ennui, sans se fatiguer à ouvrir la bouche :

— Et, Armandin, un peu de trèfle, pas assez de cœur...

Et le Septième errait dans les rues, les mains dans les poches, les cheveux au vent, prêt à lancer des pierres aux fenêtres, sorti triomphant d'une rude bataille de boules de neige, avec la bande du quartier, l'œil polisson, encouragé par la maigreur de ses joues qui lui prêtait cet air dur dont il avait besoin pour affronter les grands de la bande de la terreur, qui le guettaient à sa droite, et les petits de l'armée de la rue des champs, qui l'épiaient à sa sortie de manufacture, le soir — plus encouragé encore, toutefois, par les coups qu'il avait reçus et qu'il avait l'intention de donner en retour — la paupière marquée par l'étoile de la bataille, le front enivré de piqûres de couteaux. Le Septième avait un

rendez-vous. Un ami l'attendait souvent sous
l'arche neigeux des ruelles, le soir. Le Septième marchait en gonflant la poitrine sous
son manteau, comme le faisait l'oncle Armandin, en se levant le matin, avant de se laver
à grande eau devant la fenêtre ouverte — sa
journée avait été si longue, son réveil si pré-
maturé, comme celui des coqs, que le Septième bâillait inlassablement en marchant.
Ah! Oui, il était un homme, déjà. Comme un
homme, il se levait à l'aube, partait le sac au
dos pour la manufacture et arrivait le premier pour mériter les éloges du patron. Mais
le patron n'avait pas le temps de le voir, bien
sûr. Comme Dieu, dans son catéchisme, il était
inaccessible aux petits. Mais heureusement,
il y avait le secrétaire. Et le secrétaire, tout
le monde le savait, avait compassion des faibles. C'était un homme bon et tolérant. Pomme
n'avait donc aucune raison de se plaindre de
perdre des doigts sous la faux innocente
d'une machine, le secrétaire n'était pas respon-
sable des objets perdus. Pomme taillait des
semelles, et le Septième les collait. Les ma-
chines avaient, selon le secrétaire, la réputation d'être exactes comme la foudre et de se
déclencher magiquement 1 700 fois par jour,
pour faire des souliers, maîtrisées, bien sûr,
par la digne main de l'ouvrier qui les aidait
à opérer. Ebloui par ces paroles, le Septième
collait ses semelles avec ardeur. Peu à peu, toutefois, il en vint à les comparer à d'innombra-

bles têtes tombant de la guillotine. 1 000°, 1 001° têtes... Les exécutées passaient vite chez l'exécuteur suivant qui n'y faisait plus attention, tant il les avait vues.

Le secrétaire passait vite entre les rangs des ouvriers — en habit gris et en cravate blanche, il craignait de se salir les mains, dans cette jungle poussiéreuse. Le Septième collait à la hâte sa 1 200° paire de semelles, le nez et les yeux envahis par les étincelles noires de la poussière. Dommage, M. le Secrétaire ne pouvait pas le voir à la tâche, il était myope...

Les mains dans ses poches, le Septième avait quitté la manufacture jusqu'au lendemain, et il respirait l'air frais du soir, les yeux levés vers le ciel plein d'étoiles. Une montagne de semelles se déplaçait avec lui, mais il l'écartait à mesure, d'un geste du coude, comme il eût indolemment repoussé un ennemi, en rêve.

Latin. Grec. Sciences Naturelles.
Arithmétique.
Jeunes gens de familles modestes
1, rue du Bon-Air
Théo Crapula, instituteur.

Le Septième avait un rendez-vous avec le Frère Théodule. Sournoisement glissé dans le destin du Septième comme un serpent dans un nid soyeux, Théo Crapula venait au se-

cours du jeune garçon pour le mettre avec
honneur sur la trace du bien. Le Septième
suivait le Frère Théodule jusqu'à son taudis.
Il remerciait sa grand-mère de l'avoir mis
sous sa divine protection. (Chère madame, mon
Supérieur m'envoie à la ville, pour une mission
de quelques jours, peut-être me permettriez-
vous de veiller sur votre petit-fils, Fortuné
Mathias... à votre entière et dévouée disposi-
tion... les tentations qui menacent la jeunesse
aujourd'hui... Cet enfant a besoin d'un directeur de conscience... Ayez donc la bonté de me
donner son adresse... etc... ce à quoi Grand-
Mère Antoinette répondit avec enthousiasme :

> *A cet orphelin*
> *Voici un père*
> *Merci mon Dieu*

et enfin le Septième comprit qu'il aurait la
chance de reprendre le temps qu'il avait perdu
si honteusement sur les bancs de l'école, autrefois — mendiant au Frère Théodule, d'ailleurs
ignorant comme la lune — ces quelques miettes de latin, de grec et surtout d'orthographe que le vent dissiperait à mesure, puisque
le Septième avait l'intention de vivre honnê-
tement de ses vols, plus tard.

Les joues envahies par une barbe épineuse
et sale, les yeux jaunis par la fatigue, le
Frère Théodule ne semblait pas entendre la
monotone petite voix qui récitait sa leçon à

ses côtés. Peu lui importaient ces cent moutons
vendus ou achetés, la somme de ces chèvres
ou de ces choux que cherchait le Septième,
en mordillant le bout de son crayon, comme
l'avait fait Jean Le Maigre, dans les mêmes
circonstances, le regard absent de son problème. Non, le Frère Théodule pensait à autre
chose : il ruminait sa déception et oubliait la
présence du Septième dans sa chambre. Etonné
que le Frère Théodule ne lui demande rien,
le Septième songeait à faire lui-même des pro-
positions. Il connaissait le prix de la douceur
ou de la gentillesse, chez M. Théo Crapula. Il
avait l'habitude.

— Nous pourrions peut-être nous promener
au clair de lune, dit Théo Crapula, d'une voix
éteinte, je me sens un peu malade ce soir...

Le Septième referma son cahier. Adieu, moutons et chèvres, encore une fois, l'école finissait trop tôt. Le Septième se résignait à coller
des semelles toute sa vie, lui qui avait tant
rêvé d'écrire des romans comme son frère,
de jouer de l'orgue, comme M. le Curé, de
chanter dans le chœur comme les novices à
l'enterrement de Jean Le Maigre! Il n'appren-
drait jamais le piano. « Un rêve impossible, lui
avait écrit sa grand-mère, nous sommes des
petites gens. Ne fais pas le rêve des grandeurs,
mon enfant. » Mais il se consolait en fréquen-
tant les églises le dimanche matin, il écoutait
le chœur des jeunes filles de l'église Notre-
Dame-de-la-Pitié, et debout sous le portail de

l'église Saint-Paul, il reniflait l'odeur de l'encens, délicieusement bercé par une rumeur d'orgue, qui venait du ciel, lui semblait-il. Il attendait avec impatience les trompettes du Jugement dernier, les clairons de la victoire céleste, et aux heures plus calmes rêvait d'entendre l'humble flûte des bergers de Noël.

— Nous pourrions nous promener près de la rivière, sous le pont, dit le Frère Théodule...

Le dimanche matin s'écoulait donc, pour le Septième, dans la ferveur et la communion. Il communiait à chaque église, et l'hostie collée à ses dents le fortifiait de son symbole. Il se versait un déluge d'eau bénite sur la tête, après et avant la messe, et lorsqu'il était enfant de chœur, le vendredi de chaque mois, il buvait le vin de la communion et trempait ses doigts dans le sang du Christ, en fermant les yeux. Il voulait devenir meilleur, se sanctifier, recouvrer pour un moment l'état de grâce, hélas! chez lui éphémère comme la rose et se ternissant au moindre contact. Il faisait chaque soir sa prière à genoux au pied de son lit et demandait la santé pour Jean Le Maigre, dans l'autre monde.

— Venez, dit le Frère Théodule, et il ouvrit la porte dans la nuit froide. Un rat glissait furtivement sur la neige, attiré, peut-être, par l'odeur de bois pourri qui montait de la rivière toute proche. C'était une nuit claire, et le Septième était gai, malgré sa fatigue. Théo Crapula, silencieusement le guidait

vers le pont, sa longue main appuyée sur l'é-
paule du jeune garçon, comme s'il avait
craint de tomber en marchant. Il avait relevé
le col de son manteau et le Septième distinguait à peine son visage dans les lueurs du
réverbère. Il fumait encore, nerveusement, et
sa main tremblait sur l'épaule du Septième.
Le moindre bruit, dans la rue, le moindre scin-
tillement d'une lampe à une fenêtre, l'imperceptible frôlement d'un passant à ses côtés,
semblaient lui inspirer de l'inquiétude, et entraînant le Septième vers le mur, il descendait avec méfiance du côté de la rivière.

— Ou... Ou... sifflait le Septième, les mains
dans ses poches (non. non, ne sifflez pas, suppliait le Frère Théodule, d'une voix pitoyable, je vous en prie, ne sifflez pas...) songeant
que le printemps approchait enfin, que les
fleurs recommenceraient à poindre dans le
jardin de sa grand-mère — un jardin grand
comme un mouchoir, disait Grand-Mère Antoinette, mais de quels soins délicats elle l'en-
tretenait à l'aube, son gros arrosoir à la main,
les cheveux noués dans un bonnet de nuit,
comme une religieuse descendue de son lit.
Le Septième se tut. Il revit la machine qui
avait tué les doigts de Pomme. Pan... Pan...
Pan..., oh ! la couronne sanglante de ces doigts
tombés sous la hache. D'une lame insensible,
la machine continuait de tailler des semelles,
martyrisant le cuir, elle coupait la chair,
Pan... Pan...

— La 500ᵉ paire de souliers, dit le secrétaire.

— N'arrêtez pas. Ce sont des choses qui arri-
vent.

Pomme s'était évanoui. Nul ne sembla l'a-
voir vu tomber, s'écrouler doucement dans la
poussière.

— Je voudrais bien aller chez moi, dit le
Septième, soudain, oui, j'aimerais bien m'en
aller, j'ai un peu mal au cœur...

Mais soudain le bruit cessa. On n'entendit
que la respiration de Pomme, sur le plancher.
On n'entendit que le battement de son cœur
dans la machine arrêtée. Quel ennui, dit le
directeur, appelez vite le médecin. Une journée perdue, dit le secrétaire à la cravate blanche, permettez-moi de me laver les mains.

— Son nom, savez-vous son nom ? Dans nos
dossiers, monsieur. Pomme disparut sur une
civière que poussaient des religieuses dans le
corridor blanc. L'oncle Armandin avait en-
levé son chapeau, le Septième enleva son
chapeau à son tour.

— Eh ben, c'est comme ça, dit l'oncle Armandin en haussant les épaules, ça lui apprendra à rêver en taillant des chaussures,
hein ? Je l'ai toujours dit, celui-là, la manufacture, ce n'est pas sa place, vaudrait mieux l'envoyer dans une boulangerie à quelque part.
Il a mangé tous les gâteaux de ma femme!

La rivière était calme et lumineuse. Le
Frère Théodule baissa le col de son manteau,

et respira, délivré de son angoisse, soudain.

— Comme il fait beau ce soir, dit-il au Septième qui n'écoutait pas. Est-ce que vous connaissez le nom de cette étoile ? Je pourrais vous l'apprendre... Je pourrais vous apprendre beaucoup de choses si vous vouliez!

Eh bien, pensa le Septième, il se décide enfin à me dire ce qu'il veut de moi. Non, pensait-il, avec entêtement, je ne veux pas voir cette étoile dont il me parle. Je ne veux pas savoir son nom. Je n'aime pas regarder le ciel ce soir.

—'Mais vous me donnerez des chocolats, toute une boîte, n'est-ce pas ? Mon frère Pomme est à l'hôpital. Ce n'est pas pour moi que je vous le demande, monsieur l'Instituteur.

— Je vous donnerai tout ce que vous voudrez, dit Théo Crapula, oui, tout, mais laissez-moi d'abord vous dire quelque chose... Théo Crapula parlait d'un rêve qu'il avait fait pendant la nuit.

— Vous me fouettiez, oui, vous me fouettiez jusqu'au délire et j'étais heureux, je vous demandais de me fouetter plus encore... Vous étiez mon juge, mon maître...

Le Septième recommença à bâiller. Ce n'est pas ma faute, si vous faites des mauvais rêves, monsieur. Moi, je ne suis pas méchant, je n'aime pas tuer les mouches, je n'arrache jamais les ailes des papillons, ce n'est pas moi qui vous fouetterais, monsieur, poursuivit-il avec gentillesse. Jamais, monsieur, même si vous me le demandiez.

— Eh bien, je vous le demande, dit Théo Crapula, en enlevant sa ceinture d'un geste maladroit, il n'y a personne, je vous en prie, faites-le pour moi...

A peine Théo Crapula avait-il prononcé ces mots, donnant à sa chétive passion l'essor de la folie, que le Septième s'enfuyait à toutes jambes, s'écorchant les genoux à sauter des piles de bois pourri qui gisaient sur la grève comme des épaves, désirant avec toute la force de son désespoir, fuir plus loin, plus loin encore, remonter jusqu'à la rue paisible, éclaircie, où il pourrait appeler quelqu'un à son secours — car il lui semblait que les paroles sinistres de Théo Crapula résonnaient à son oreille, comme une condamnation à mort, et qu'il ne pourrait pas y échapper ni avoir le courage de hurler sa peur encore mêlée de larmes — en frappant à la porte de l'oncle Armandin ou à quelque fenêtre d'une maison inconnue. Grand-Mère, Maman, appelait-il en courant et il entendit un train qui passait sur le silence de la ville, et plus loin, la cloche d'une église qui sonnait le coup de neuf heures comme d'habitude. Lentement, sa peur décroissait, le mal s'apaisait peu à peu dans son ventre. Il était sauvé, pensait-il. Il voyait le pont. Il allait bientôt l'atteindre. Théo Crapula le poursuivait en haletant — « Je vous en prie, n'ayez pas peur, je ne

vous ferai pas de mal... » Une main s'agrippa
à son épaule, mais il la sentit à peine tant
il ne pensait qu'à sa victoire d'atteindre bientôt l'escalier de fer qui le conduirait sur le
pont; deux mains violentes s'accrochèrent à
lui, le Septième sentit qu'il était perdu. Il se
laissa mollement retomber sur le sable.

Le Septième se réveilla à l'aube. Il était
seul sur la grève. Le soleil se levait sur la
rivière. Il se frotta les yeux. Il n'était pas
mort, comme il l'avait cru. Ses vêtements
étaient à peine déchirés. Mais passant la main
à son cou, il sentit une marque qui brûlait
encore...

★

Une saison s'était écoulée dans la vie d'Emmanuel. La neige commençait à fondre, c'é-
tait le printemps. Emmanuel se soulevait de
joie dans son berceau pour voir entrer le
soleil par la fenêtre. Pomme avait quitté l'hôpital. Il marchait au milieu de son oncle et
du Septième, dans une rue de la ville. C'é-
tait une belle journée du mois de mars, mais
Pomme ne levait pas les yeux vers le ciel.

Vendre les journaux est un bon métier, disait l'oncle Armandin, en secouant son neveu
par l'épaule, je l'ai toujours dit, mon garçon,
tu ne penses pas assez à l'avenir.

Le Septième marchait en silence, préoccupé
par des vols de bicyclettes et de phares de

voitures. Il finirait sans doute en prison, comme lui avait dit son père, tant de fois. Il n'avait plus espoir de guérir de son besoin de voler. Il était allé trop loin. Il craignait de perdre son emploi à la manufacture. Mais Grand-Mère Antoinette avait pris Emmanuel dans ses bras, et lui parlait à l'oreille.

— Tout va bien, disait Grand-Mère Antoinette, il ne faut pas perdre courage. L'hiver a été dur, mais le printemps sera meilleur. Remercions le ciel, Héloïse nous envoie un peu plus d'argent chaque semaine!

Emmanuel battait des mains.

— Mais oui, tout va bien, disait Grand-Mère Antoinette, en hochant la tête de satisfaction.

Pomme cachait son poing mutilé dans sa veste. Lève la tête, disait l'oncle Armandin, il faut être brave, hein, tu es un homme! Emmanuel n'avait plus froid. Le soleil brillait sur la terre. Une tranquille chaleur coulait dans ses veines, tandis que sa grand-mère le berçait. Emmanuel sortait de la nuit.

— Oui, ce sera un beau printemps, disait Grand-Mère Antoinette, mais Jean Le Maigre ne sera pas avec nous cette année...

FIN

CRITIQUE

Publié d'abord à Montréal par les Editions du Jour à l'été de 1965, *Une saison dans la vie d'Emmanuel* a reçu, de la part des critiques québécois, un accueil un peu mitigé, qui allait de l'admiration débordante d'un Jean Ethier-Blais («le monde canadien-français, grâce à elle, dépasse nos frontières et s'engage dans celles, universelles, de la poésie divine » — *Le Devoir*) ou d'une Monique Bosco («ce roman se situe vraiment en dehors de toute la production courante » — *Le Maclean*), ravis par la nouveauté et la beauté de l'écriture, au dédain d'un Jean O'Neil («ceux qui n'ont pas encore touché le fond de notre abjection ont ici de quoi laper à grands coups de langue » — *La Presse*), d'un Roger Duhamel («un livre raté et décevant » — *Photo-Journal*) ou du Frère Lockquell («encore un climat de sensualité poisseuse » — *Le Soleil*), choqués par la dureté ou l'«immoralité » de l'oeuvre.

Mais la véritable carrière du roman commence seulement quelques mois plus tard, quand Edmund Wilson, le célèbre critique américain, écrit une préface dithyrambique (reproduite ci-après) pour la traduction anglaise de Derek Coltman intitulée *A Season in the Life of Emmanuel* et parue à New York dès la fin de 1965. Dans le monde anglophone, dès lors, l'accueil sera plus que favorable comme en font foi les nombreuses recensions enthousiastes publiées par les journaux américains: « a book of genuine literary merit » — *Fortworth Star Telegram;* « an exceptional book, a beautiful thing » — *The New York Review of Books;* « a stark, spare story, perhaps upsetting to some, but unforgettable » — *Baltimore Sun;* « a remarkable artistic achievement » — *Boston Sunday Herald;* « Marie-Claire Blais is clearly a prodigy » — *Chicago Daily News;* « it is so highly concentrated in fiction that what would otherwise be a travesty of pain and degradation is felt to be an epitome, an ultimate distillation » — *Washington Star;* « a quality of poetic grace » — *Oregonian;* « an impressionistic view of a frightening and fascinating world » — *Providence Journal;* « Miss Blais writes with a control, a clarity, and above all a compulsion that is remarkable » — *Harper's Magazine;* « constantly interesting, at once homely and exotic, and filled with a kind of bleak but moving poetry » — *Maclean's Reviews;* « a deeply tender story in which she simultaneously suffers with and smiles at her characters » — *The Record Magazine,* New Jersey; « in the thin rank of important contemporary novelists » — *Washington Sunday Star;* « a sad-happy, courageous and spendidly told novel » — *Vermont Sunday News;* « a solid piece of literary territory » — *The Sunday Times.*

En France et au Québec, il faudra attendre, pour qu'éclate vraiment le succès, l'automne de 1966 et la remise du prix Médicis à Marie-Claire Blais pour *Une saison dans la vie d'Emmanuel* qu'avaient publié à Paris les éditions Bernard Grasset. Alors c'est un concert unanime d'éloges de la part de tous les chroniqueurs parisiens et, à Montréal, le ravissement: « ce livre beau et étrange où le plaisir d'écrire se mêle à l'angoisse de vivre et à la difficulté d'être » — André Tillieu, *La Gauche;* « produit à la fois brut et raffiné d'une sensibilité sans doute blessée de toutes parts, il nous dépayse, nous émeut » — François Nourissier. *Nouvelles littéraires;* « l'auteur ne pratique ni la grosse caisse, ni le trombone, ni la trompette, son instrument littéraire c'est la flûte, dont elle joue à ravir d'horreur » — Yves Berger, *Le Nouvel observateur;* « la fable déformée de notre histoire à tous » — Alain Bosquet, *Le Monde;* « il faut avec elle découvrir un univers inconnu, écouter un langage qui a sa musique et ses lois » — Kléber Haedens, *Le Nouveau Candide;* « poésie à l'état brut, dépaysement total, ce livre extraordinaire vaut le voyage » — Mathieu Galley, *Arts;* « c'est l'explosion d'une telle accumulation de forces que nous en demeurons étourdis, le génie est là, chez ce Jean Le Maigre prodigieux, chez celle qui l'inventa » — Claude Mauriac, *Le Figaro;* « à coup sûr, la découverte de cette année » — Pierre-Henri Simon, *Le Monde;* « un livre étonnant » — Jacqueline Piatier, *Réalités;* « le plus curieux, le plus étrange, le plus saisissant des livres qu'il m'ait été donné depuis longtemps de lire » — Hubert Juin, *Lettres françaises.*

Dans les années suivantes, à la traduction américaine (publiée aussi à Londres en 1967 et reprise en «pocket book» en 1975), s'ajouteront tour à tour d'autres traductions en allemand, en norvégien, en danois, en polonais, en serbo-croate, en espagnol, en néerlandais, en italien, en japonais, en finlandais, en hongrois et en tchèque. *Une saison dans la vie d'Emmanuel* est aujourd'hui, un peu comme *Maria Chapdelaine, Trente arpents* ou *Bonheur d'occasion,* une oeuvre lue dans le monde entier.

Au Québec, les rééditions du livre n'ont cessé de se multiplier depuis 1966, d'abord aux Editions du Jour, puis aux Quinze, et maintenant en format de poche. Une édition de grand luxe, illustrée par Mary Meigs, a été publiée en 1968, et une adaptation cinématographique a été réalisée en France, par Claude Weisz, en 1973.

De très nombreuses études ont été écrites sur *Une saison dans la vie d'Emmanuel,* notamment un livre de Vincent Nadeau (*Marie-*

Claire Blais: le noir et le tendre, Montréal, P.U.M., 1974) qui contient une importante bibliographie. De ces études, quelques-unes sont particulièrement utiles:

Jean Ethier-Blais, « Marie-Claire Blais », dans *Signets II,* Montréal, Cercle du Livre de France, 1967, p. 228-232.

Lucien Goldmann, « Note sur deux romans de Marie-Claire Blais », dans *Structures mentales et créations culturelles,* Paris, Anthropos, 1970, p. 401-414 (repris dans la collection « 10/18 »)

Madeleine Greffard, «*Une saison dans la vie d'Emmanuel:* kaléidoscope de la réalité québécoise », dans *Cahiers de Sainte-Marie,* Montréal, no 1, novembre 1968, p. 19-24

Jacques-A. Lamarche, « La thématique de l'aliénation chez Marie-Claire Blais », dans *Cité libre,* Montréal, juillet-août 1966, p. 27-32

Jean Marcel, « L'univers magique de Marie-Claire Blais », dans *l'Action nationale,* Montréal, vol. LV, no 4, décembre 1965, p. 480-483

Henri Mitterand, « Coup de pistolet dans un concert: *Une saison dans la vie d'Emmanuel* », dans *Voix et images,* Montréal, vol. II, no 3, avril 1977, p. 407-417

Marie-Louise Ollier, « *Une saison dans la vie d'Emmanuel* », dans *Etudes françaises,* Montréal, vol. II, no 2, juin 1966, p. 224-227

On consultera aussi avec profit quelques études d'ensemble sur l'oeuvre de Marie-Claire Blais:

Michel Brûlé, « Introduction à l'univers de Marie-Claire Blais », dans *Sociologie de la littérature,* Bruxelles, Editions de l'Université de Bruxelles, 1973, p. 175-185

Pierre Chatillon, « Marie-Claire Blais telle qu'en elle-même », dans *Livres et auteurs québécois 1968,* p. 241-245

Gilles Marcotte, « Les enfants de Grand-Mère Antoinette », dans *le Roman à l'imparfait,* Montréal, La Presse, 1976, p. 93-137

Philip Stratford, *Marie-Claire Blais,* Toronto, Forum, 1971, collection « Canadian Writers and their Works », 70 p.

L'Éditeur.

MARIE-CLAIRE BLAIS
par
Edmund Wilson

Il faut commencer, lorsqu'on aborde les romans de Marie-Claire Blais, par se défaire d'un préjugé trop largement répandu, qui voudrait faire croire que cette oeuvre ressemble à celle de Françoise Sagan. J'imagine que cette comparaison a d'abord été faite par l'un de ses éditeurs, qui a cru pouvoir exploiter avec profit le fait que Marie-Claire Blais avait écrit elle aussi un roman à sensation dès son plus jeune âge. Mais cette précocité est bien tout ce qui rapproche les deux romancières : Marie-Claire Blais a publié son premier livre à dix-neuf ans. Pour le reste, elle et Françoise Sagan ne pourraient être plus différentes. Celle-ci est une Parisienne extrêmement sophistiquée, qui fait dans les voitures rapides, les drogues dangereuses et les liaisons alambiquées. Dans sa pièce intitulée *Château en Suède*, elle a recours aux trucs frivoles du nouveau théâtre de boulevard, illustré par les Cocteau, Giraudoux, Anouilh, théâtre plus pervers encore que l'ancien. Marie-Claire Blais, en revanche, est issue d'un Québec lugubre et bigot, et elle ne se sent nullement chez elle sur les boulevards de Paris. Ses récits, jusqu'au tout dernier, sont généralement des rêves obsessifs et tourmentés, se déroulant — comme bon nombre de romans canadiens — dans un décor impossible à localiser avec précision. Son premier roman, *la Belle bête,* publié en 1959, est une sorte de conte de fées tragique ; *Tête blanche,* parue en 1960, se rapproche quelque peu d'un univers reconnaissable, mais sans établir de véritable lien avec les comportements vraisemblables dans un tel univers ; *le Jour est noir,* qui est de 1962, établit à peine ce lien : c'est un fantasme d'agonisant, plein de relations cauchemardesques et toujours changeantes entre des enfants déserteurs, une épouse qui abandonne son mari et un autre mari malheureux qui finit par se suicider pour des motifs obscurs ; *les Voyageurs sacrés* enfin, parus en 1962 dans les *Ecrits du Canada français,* portaient la mention « poème » bien qu'il s'agisse d'un récit, rédigé à la manière de certains écrits de Virginia Woolf. Ce dernier ouvrage est le seul livre de Marie-Claire Blais, jusqu'à la *Saison,* qui ait un décor défini : on suppose qu'il a lieu en France.

Mais voici qu'*Une saison dans la vie d'Emmanuel* marque clairement un nouveau départ pour l'écrivain. La boule de cristal qui contenait les visions réduites, distantes et un peu mystérieuses des premiers romans, s'est assombrie soudain pour faire place aux images troubles et tourbillonnantes du Canada fran-

çais réel — à la misère et à la vie douloureuse
qui fourmille dans les maisons à toit pointu et
à murs chaulés des petites villes canadiennes.
Voici qu'on découvre : la famille qui s'accroît
sans mesure et qui, tendant à se disperser,
est néanmoins tenue rassemblée par l'autorité
d'une matrone monumentale ; le père illettré et
maladroit ; l'éducation médiocre des enfants ;
la règle stérile du couvent, qui conduit d'abord
à la mortification personnelle puis à la condi-
tion un peu moins glaciale de prostituée ; les
jeunes garçons qui se complaisent dans le vol
et l'incendie criminel ; les ecclésiastiques à la
sexualité refoulée qui ne peuvent s'empêcher
d'abuser de leurs pupilles ; et le jeune homme
au génie méconnu qui meurt de tuberculose.
Le réalisme urbain canadien-français est né
durant les années quarante, avec *Au pied de
la pente douce* de Roger Lemelin et *Bonheur
d'occasion* de Gabrielle Roy. Mais ces romans,
plutôt conventionnels, se conformaient plus fi-
dèlement que le livre de Marie-Claire Blais aux
règles du récit naturaliste : ils étaient moins
poétiques, moins intenses. Car bien que la matière de la *Saison* soit un milieu réel avec tous
ses détails prosaïques et sordides, cette matière
n'est pas présentée d'une façon prosaïque ni
même, en dépit de ses horreurs, d'une façon
sordide ; bien plutôt, elle est pénétrée — et
parfois même un peu brouillée — par les fan-

tasmes de l'adolescence, saturée des terreurs et des appétits, des aspirations de ces jeunes gens, exacerbés et contenus par l'univers surpeuplé où ils sont captifs. L'un des procédés narratifs de l'auteur consiste, dans le tout premier paragraphe, à décrire, en adoptant le point de vue des enfants rampant et jouant sur le sol, les pieds de la grand-mère dominatrice qui, quoique « meurtris par de longues années de travail aux champs », sont perçus comme « nobles et pieux, l'image sombre de l'autorité et de la patience », tandis qu'Emmanuel, le seizième enfant nouveau-né, couché dans le giron de sa grand-mère, éprouve sa chaleur et reconnaît sa voix, ne sachant rien encore des misères auxquelles il est destiné.

J'ai d'abord lu ce livre en manuscrit et me suis demandé s'il pourrait jamais être publié au Canada français. Apprenant ensuite avec surprise qu'il avait été accepté sans hésiter par le courageux Jacques Hébert des Editions du Jour, je me suis alors attendu au même type de réaction que celui que les Ecossais avaient réservé à *The House with the Green Shutters* de George Douglas, ou les Irlandais à *The Playboy of the Western World,* ou les habitants du Mississippi aux romans de William Faulkner. Il n'y avait pas si longtemps — en 1934 — que Jean-Charles Harvey, pour avoir publié un roman qui se moquait de l'establishment ecclésiastique et traitait plus ou moins librement de sexe, avait été dénoncé par l'Eglise catholique, congédié par le journal québécois pour lequel il travaillait depuis des années et virtuellement réduit à l'état de paria. Certes, il y a eu, parmi la critique locale, des cris d'indignation contre le tableau désobligeant qu'avait peint Marie-Claire Blais ; mais dans l'ensemble, chose étonnante, l'accueil fait au livre a été favorable. La vie intellectuelle du Canada français est en passe de parvenir à une maturité longtemps différée. La haute tradition de la critique française a été particulièrement illustrée par l'article de Jean Ethier-Blais, du quotidien montréalais *Le Devoir*. L'auteur de la *Saison* a parfois été, dans le passé, l'objet de vives controverses ; mais on a maintenant l'impression, en lisant les comptes-rendus du dernier livre de Marie-Claire Blais, que ses compatriotes — que leur zèle dans la lutte qu'ils mènent contre l'influence anglophone rend plus déterminés dans leurs revendications culturelles — sont en train de devenir fiers de cette jeune romancière. A coup sûr, pour un non-Canadien, la parution d'un livre tel que celui-ci — de loin, selon moi, le meilleur de Marie-Claire Blais et le meilleur roman canadien-français que j'aie lu, mises à part certaines oeuvres d'André Langevin — semble indiquer que la littérature canadienne-française, après avoir donné un bon nombre d'écrits valables mais dont l'intérêt restait purement local, est maintenant à même d'offrir au monde entier des livres originaux de grande qualité.

Ce texte a été publié pour la première fois comme préface à l'édition anglaise de A Season in the Life of Emmanuel, *New York, Farrar Strauss & Giroux, 1965, et repris dans l'édition de poche de Bantam Books en 1975.*

© *Edmund Wilson, 1965*

Traduction française : François Ricard

ŒUVRES DE MARIE-CLAIRE BLAIS

ROMANS
La belle bête
> Montréal, 1959 : Paris, 1960 ; Montréal, 1968. Traductions anglaise et espagnole. Adaptation pour le ballet en 1977.

Tête blanche
> Montréal, 1960, 1969, 1977. Traduction anglaise.

Le jour est noir
> Montréal, 1962 ; Paris, 1971. Traduction anglaise. Collection « Québec 10/10 » no 12.

Une saison dans la vie d'Emmanuel
> Montréal, 1965 ; Paris, 1966. Édition de grand luxe, Montréal, 1968 ; Montréal, Stanké, 1980. Traductions anglaise, allemande, norvégienne, danoise, polonaise, serbo-croate, espagnole, néerlandaise, italienne, japonaise, finlandaise, hongroise, tchèque. Adaptation pour le cinéma, 1973. Prix Médicis 1966, prix France-Québec 1966. Collection « Québec 10/10 » no 18.

L'insoumise
> Montréal, 1966 ; Paris, 1971. Traduction anglaise. Collection « Québec 10/10 » no 12.

David Sterne
> Montréal, 1967. Traduction anglaise. Collection « Québec 10/10 » no 38.

Manuscrits de Pauline Archange
> Montréal, 1968, Paris, 1968. Traductions anglaise et tchèque. Prix du Gouverneur général du Canada 1968. Collection « Québec 10/10 » no 27.

Vivre ! Vivre !
> Montréal, 1969. Traduction anglaise. Collection « Québec 10/10 » no 28.

Les apparences
> Montréal, 1970. Traduction anglaise. Collection « Québec 10/10 » no 29.

Le loup
>   Montréal, 1972 ; Paris, 1972. Traduction anglaise.
>   Collection « Québec 10/10 » no 23.

Un Joualonais sa Joualonie
>   Montréal, 1973 ; Paris, 1977 sous le titre *À cœur joual*.
>   Traduction anglaise. Collection « Québec 10/10 » no 15.

Une liaison parisienne
>   Montréal, 1976, 1980 ; Paris, 1976. Traduction anglaise.
>   Collection « Québec 10/10 » no 58.

Les nuits de l'underground
>   Montréal, 1978. Traduction anglaise.

Le sourd dans la ville
>   Montréal, 1979 ; Paris, 1980. Prix du Gouverneur géné-
>   ral du Canada 1979. Traduction anglaise. Collection
>   « Québec 10/10 » no 94.

Visions d'Anna
>   Montréal, 1982. Traduction anglaise.

Pierre, La guerre du printemps 1981
>   Primeur, Montréal, 1984. L'Acropole, Paris, 1986.

THÉÂTRE
L'exécution
>   pièce en deux actes créée à Montréal en 1968, publiée
>   à Montréal, 1968. Traduction anglaise.

Fièvres
>   pièce radiophonique diffusée à Radio-Canada en 1973 ;
>   Montréal, 1974.

L'océan et Murmures
>   Montréal, 1977. Traduction anglaise.

La nef des sorcières (Marcelle)
>   pièce écrite en collaboration, créée à Montréal en 1976,
>   publiée à Montréal, 1976.

RÉCITS
Les voyageurs sacrés
Montréal, 1962, 1966. Traduction anglaise.

POÉSIE
Pays voilés
Québec, 1964 ; Montréal 1967. Collection « Québec 10/10 » no 64.

Existences
Québec, 1964 ; Montréal, 1967. Collection « Québec 10/10 » no 64.

TABLE

UNE SAISON DANS
LA VIE D'EMMANUEL

Claude-Henri GRIGNON
Un homme et son péché (1)

Lionel GROULX
La confédération canadienne (9)
Lendemains de conquête (2)
Notre maître le passé, *trois volumes* (3,4,5)

Jean-Charles HARVEY
Les demi-civilisés (51)
Sébastien Pierre (78)

Jacques HÉBERT
Les écoeurants (92)

Claude JASMIN
Délivrez-nous du mal (19)
Éthel et le terroriste (57)
La petite patrie (60)

William KIRBY
Le Chien d'Or
2 tomes (111, 112)

Albert LABERGE
La scouine (45)

Jacques LANGUIRAND
Tout compte fait (67)

Louise LEBLANC
37½ AA (83)

Félix LECLERC
L'auberge des morts subites (90)

Roger LEMELIN
Au pied de la pente douce (103)
Fantaisies sur les péchés capitaux (108)
Les Plouffe (97)
Le crime d'Ovide Plouffe (98)
Pierre le magnifique (104)

Alain René LESAGE
Les aventures de M. Robert Chevalier dit de Beau-
chêne, capitaine de flibustiers dans la Nouvelle-France,
2 tomes (109, 110)

Achevé Imprimerie
d'imprimer Gagné Ltée
au Canada Louiseville